# EL LIBRO MONTESSORI

## PARA BEBÉS Y NIÑOS PEQUEÑOS

CRECER DE FORMA CONSCIENTE Y LÚDICA
AL MISMO TIEMPO QUE SE FOMENTA LA
INDEPENDENCIA

Muchas gracias por tu compra. Significa mucho para nosotros que hayas elegido nuestro libro.

Por eso nos gustaría agradecértelo con una bonificación gratuita. Se trata de un especial de las estaciones con 20 ideas creativas Montessori para todas las estaciones del año.

Simplemente escanea el código QR y descarga rápidamente el especial de las estaciones de nuestro sitio web. Hay algo para cada grupo de edad. Las actividades estimulan todos los sentidos de tu hijo de forma divertida, al igual que las fantásticas actividades incluidas en el libro.

¡Esperamos que tanto tú como tu hijo disfruten de las actividades!

# ¡OBTÉN ACCESO A CONTENIDO ADICIONAL GRATUITO AQUÍ!

# SIMBOLOGÍA

Estos símbolos sirven de guía.
Están situados junto a los
ejercicios e indican qué aspecto
del desarrollo se está estimulando.

Coordinación mano-ojo

Formas y colores

Lenguaje y audición

Tacto

Formación del
pensamiento

Ejercicios prácticos de
la vida cotidiana

# CONTENIDO

**7** PRÓLOGO

**9** INTRODUCCIÓN
*Los principios de la educación Montessori* **10**
*Los materiales preparados* **12**
*El ambiente preparado* **16**
*Preguntas frecuentes* **20**

**27** DE 0 A 3 MESES
*Móviles* **28**
*Juguetes de agarre* **30**
*Ejercicios para todos los días* **32**

**35** DE 3 A 6 MESES
*Coordinación mano-ojo* **36**
*Formas y colores* **38**
*Lenguaje y audición* **40**
*Tacto* **44**

**47** DE 6 A 9 MESES
*Coordinación mano-ojo* **48**
*Formas y colores* **51**
*Lenguaje y audición* **53**
*Tacto* **56**
*Formación del pensamiento* **59**

**63** DE 9 A 12 MESES
*Coordinación mano-ojo* **64**
*Formas y colores* **67**
*Lenguaje y audición* **69**
*Tacto* **72**
*Formación del pensamiento* **74**
*Ejercicios prácticos de la vida cotidiana* **78**

**81** DE 1 A 1 AÑO Y MEDIO
*Coordinación mano-ojo* **82**
*Formas y colores* **85**
*Lenguaje y audición* **87**
*Tacto* **89**
*Formación del pensamiento* **91**
*Ejercicios prácticos de la vida cotidiana* **93**

**97** 18 MESES A 2 AÑOS
*Coordinación mano-ojo* **98**
*Formas y colores* **100**
*Lenguaje y audición* **102**
*Tacto* **104**
*Formación del pensamiento* **106**
*Ejercicios prácticos de la vida cotidiana* **108**

**111** 2 A 3 AÑOS
*Coordinación mano-ojo* **112**
*Formas y colores* **116**
*Lenguaje y audición* **119**
*Tacto* **121**
*Formación del pensamiento* **124**
*Ejercicios prácticos de la vida cotidiana* **127**

**131** COMENTARIOS FINALES
*Comentarios de los clientes* **132**
*Comentarios finales* **133**
*Información legal* **134**

INTRO

0 - 3 MESES

3 - 6 MESES

6 - 9 MESES

9 - 12 MESES

1 - 1,5 AÑOS

18 M. - 2 AÑOS

2 - 3 AÑOS

FIN

# PRÓLOGO

〰

*"Creo que es posible concebir una nueva sociedad en la que los seres humanos serán más capaces porque se depositó confianza en ellos cuando eran niños."*

*Maria Montessori*

Montessori sigue siendo tan relevante como siempre. Los fundamentos del método educativo Montessori se remontan a hace más de 100 años. Pero incluso hoy en día, su concepto no ha perdido ni un ápice de su significado ni de su espíritu. Por el contrario, el número de escuelas y jardines de infancia que aplican el método Montessori sigue creciendo constantemente.

El principio básico de la enseñanza Montessori es ayudar a los niños a desarrollar el pensamiento libre lo más pronto posible. Personas a las que les guste responsabilizarse tanto de sí mismas como de los demás y que sean independientes. De este modo, la enseñanza Montessori puede combinarse con enfoques de crianza basados en el apego o en las necesidades.

Este libro tiene como objetivo mostrar las ideas básicas del método de enseñanza de Maria Montessori y transmitir los principios que la sustentan. Se presentarán ejemplos que te permitirán poner en práctica las ideas Montessori en tu hogar.

Una idea central de la educación Montessori son los materiales que los niños deben utilizar para favorecer su desarrollo. En este libro encontrarás muchas ideas para mantener ocupados a los niños de 0 a 3 años. A menudo, estos juegos pueden llevarse a cabo con artículos domésticos típicos que probablemente ya tienes en casa. La mayoría del resto de los materiales son baratos y están disponibles en casi todas las tiendas de manualidades o tiendas de descuento, por lo que deberías poder realizar estas actividades fácilmente, incluso con un presupuesto limitado.

La mayoría de estas actividades son simples en su ejecución. Como padre o madre, tu tiempo es limitado, así que no debes invertir más tiempo del necesario para preparar los juegos.

Debido a que el desarrollo de tu hijo progresa de manera más rápida en los primeros tres años que en cualquier otra etapa, este libro está dividido en pequeños pasos y diversos periodos de tiempo. Al comienzo de cada capítulo, encontrarás información sobre los avances que tu hijo alcanzará en esa etapa. Esta información se basa en promedios. Algunos niños pueden desarrollarse más rápidamente en un área y más lentamente en otra, dependiendo de cuándo aparezcan estas fases cruciales en tu hijo. Por lo tanto, debes asegurarte de que los juegos coincidan siempre con el nivel de desarrollo y los intereses de tu hijo.

Este libro también tiene la intención de motivarte a ver este periodo estresante con los niños pequeños como algo sumamente valioso. En estos primeros años, tu hijo no solo está aprendiendo a comprender el mundo, sino también a sí mismo. En la fase de autonomía, que a menudo es desafiante para los padres y que solía ser malinterpretada como una fase de desobediencia, tu hijo no está trabajando en tu contra (aunque a menudo pueda sentirse así), sino en su propio beneficio.

El método educativo Montessori aborda a los niños con respeto. Reconoce que los niños pequeños suelen sentirse abrumados por su entorno y pueden absorber impresiones como una esponja. A través de la observación cuidadosa de su hijo, los padres pueden aprender a atender sus necesidades y fomentar su autonomía y voluntad de cooperar. Mediante ejercicios prácticos de la vida diaria, puedes promover la participación de tu hijo y brindarle la sensación de ser un miembro valioso de la familia.

Este libro busca darte las herramientas necesarias para acercarte a tus hijos de forma pacífica y a su nivel, y para favorecer a su desarrollo para que se conviertan en personalidades autónomas.

# INTRODUCCIÓN

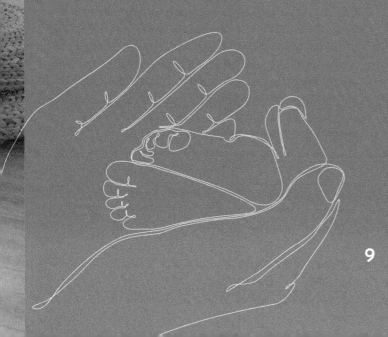

# LOS PRINCIPIOS DE LA EDUCACIÓN MONTESSORI

~

Maria Montessori fue pionera en su campo y desarrolló una estructura compleja con su enfoque educativo, cuyos fundamentos explicaremos brevemente.

## LA MENTE ABSORBENTE INCONSCIENTE

Maria Montessori creía que los niños de 0 a 6 años pueden recopilar (absorber) información sin esfuerzo y de forma inconsciente, y que son muy sensibles a su entorno. El niño luego incorpora estas impresiones en su desarrollo.

Según Montessori, los niños de esa edad asimilan los estímulos de la misma forma que una esponja absorbe el agua. Esta mente absorbente conlleva una enorme responsabilidad para los adultos, quienes deben ser modelos positivos para sus hijos. Maria Montessori compara esto con una esponja que no distingue entre agua limpia y sucia, simplemente absorbe ambas. Del mismo modo, los niños registran, ponen en práctica y copian tanto los comportamientos positivos como los negativos.

## EL ADULTO PREPARADO

Los padres y los profesores desempeñan un papel importante en la educación Montessori. Deben liberarse de los estereotipos sobre los niños e informarse sobre su desarrollo. Los adultos deben aceptar los errores cometidos por los niños en lugar de corregirlos, predicar con el ejemplo y no perturbar la concentración de sus hijos.

## EL AMBIENTE PREPARADO

En la educación Montessori, es responsabilidad del adulto garantizar que su hijo pueda desarrollarse en un ambiente preparado. El adulto decide el mobiliario y el tipo y la cantidad de objetos dentro de este ambiente. Según el método Montessori, un ambiente bien preparado permite al niño desarrollarse libremente dentro de límites específicos. Dentro de estos límites, el niño es independiente y tiene cierta libertad de elección. Sin embargo, esto no significa que los padres renuncien a todo el control. El niño experimenta autonomía en las decisiones cotidianas. Puede, por ejemplo, elegir la ropa para el día siguiente, pero hará una selección entre dos sugerencias hechas por el adulto. El niño puede elegir su propia merienda y seleccionar algo de un frutero preparado previamente por sus padres. Más adelante te explicaremos cómo puedes convertir tu casa en un ambiente Montessori.

## DESARROLLO INDIVIDUAL

Los padres deben reconocer el desarrollo de sus hijos y no compararlos con otros niños. Deben respetar los intereses de sus hijos, su forma de aprender y lo que desean aprender.

## MOTIVACIÓN INTERNA PARA EL APRENDIZAJE

Los niños tienen una motivación intrínseca para aprender cosas nuevas. Se asombran con facilidad, sienten curiosidad y están dispuestos a aprender. Los padres y los profesores pueden orientar este amor por el aprendizaje para ayudar al niño a desarrollar su personalidad. Una motivación especial surge del aprendizaje práctico y concreto, en el que los niños pueden tener experiencias táctiles por sí mismos. Se involucran personalmente y se activan. Esto puede fomentar una comprensión más profunda.

## PERIODOS SENSIBLES

Montessori llama "periodos sensibles" a los momentos en que los niños son especialmente receptivos hacia ciertas habilidades o conceptos. Esto ocurre casi sin esfuerzo. Los adultos pueden reconocer estos periodos por el fuerte interés mostrado por su hijo. Un bebé que comienza a imitar sílabas entra en el periodo sensible del lenguaje. Un niño que de repente no quiere hacer otra cosa que juguetear es especialmente receptivo a determinados patrones de movimiento. Montessori divide los primeros años en siete periodos sensibles:

### De 0 a 1 año: El periodo sensible del apego

Durante este tiempo, se fortalece el vínculo entre padres e hijos. Inicialmente, el niño depende por completo de sus padres. Los padres deben responder de manera oportuna y apropiada a las necesidades de su hijo. De esta manera, pueden mostrarle al niño que es importante y que se tienen en cuenta sus necesidades. Un vínculo seguro durante la infancia sienta las bases para la salud mental en el futuro.

### 0 a 6 años: El periodo sensible del orden

Los niños pequeños, en particular, tienen una gran necesidad de orden y rutinas. Se establecen ciertos patrones de comportamiento y se asigna una función y un lugar específico a las cosas. De esta manera, los niños aprenden sobre el significado lógico.

### 6 meses a 6 años: El periodo sensible del movimiento

Durante su primer año, los bebés se vuelven cada vez más móviles. Gatean, se sientan e incluso muchos comienzan a caminar. Este desarrollo continúa en los años siguientes y no se limita al movimiento. También se perfeccionan continuamente las habilidades motrices finas.

### 0 a 7 años: El periodo sensible del lenguaje

Los padres pueden contribuir a la adquisición natural del lenguaje de sus hijos al leerles, contarles historias e iniciar conversaciones.

### 0 a 6 años: El periodo sensible de los sentidos

Mientras que los bebés exploran principalmente los objetos con la boca en los primeros meses, el sentido del tacto y la vista se vuelven más interesantes posteriormente. Los niños pequeños también son receptivos a los olores y sabores.

### 18 meses a 7 años: El periodo sensible de los objetos pequeños

A los niños pequeños les encantan los objetos pequeños que pueden llevar de un lado a otro o colocar en cajas pequeñas. Así entrenan su motricidad fina.

### 0 a 6 años: El periodo sensible del aprendizaje social

Con el aumento de la edad, los niños comienzan a insertarse en grupos sociales. Este momento es una gran oportunidad para enseñar a un niño buenos modales mediante el buen ejemplo.

## LA OBSERVACIÓN

La observación es uno de los elementos fundamentales de la educación Montessori. Los adultos observan las acciones de sus hijos. De esta manera, pueden reconocer los periodos sensibles tempranamente y algunos de los nuevos intereses de sus hijos, con los que luego pueden trabajar. Al principio, te puede resultar extraño observar intensamente y de manera neutral a tu propio hijo mientras juega. Sin embargo, esto juega un papel importante en el apoyo y desarrollo.

# LOS MATERIALES PREPARADOS

~

*"Ayúdame a hacerlo yo mismo. Enséñame cómo se hace. No lo hagas por mí. Puedo hacerlo y lo haré por mí mismo. Ten paciencia para comprender mis maneras. Puede que me lleve más tiempo; puede incluso que me lleve más tiempo porque quiero intentarlo varias veces. Permíteme cometer errores y agotarme, porque así puedo aprender"*

*Maria Montessori*

La educación Montessori se basa en conceptos orientados a la actividad y al material. El juego del niño se considera aprendizaje. A través de la diversión que el niño experimenta al jugar, puede relajarse y construir su personalidad. Así, el niño puede crear su identidad. Nunca se debe subestimar el valor del juego.

## ¿QUÉ MATERIALES HAY?

La educación Montessori distingue principalmente tres grupos de materiales: los materiales de desarrollo permiten experiencias de juego prácticas e involucran todos los sentidos del niño. Favorecen el desarrollo emocional y cognitivo. Aquí distinguimos entre materiales de lenguaje, matemáticos y sensoriales. Los materiales sensoriales son los más importantes hasta los 3 años. Activan los 5 sentidos (vista, tacto, gusto, oído y olfato) y permiten al niño experimentar las impresiones con más matices. Estos materiales tienen una fuerte naturaleza visual y estimulante.

El aprendizaje práctico fortalece la autonomía de tu hijo y le brinda la sensación de ser igual que los adultos. La necesidad de movimiento que ya está presente encuentra un objetivo; por ejemplo, al lavarse las manos o regar las plantas. Las actividades cotidianas se realizan de manera lúdica, ayudando al desarrollo de habilidades motrices gruesas y finas, y practicando patrones de movimiento.

La educación cósmica tiene una gran estima en la educación Montessori. En ella se fusionan las áreas de geografía, geología, historia, física, química y biología. Maria Montessori no quería enseñar estos campos por separado. Por el contrario, los unió y resaltó su importancia para el "gran esquema de las cosas", de manera que el mundo (el cosmos) y la interrelación entre los seres humanos y la naturaleza quedaran claros. Tu hijo pensará en lo que lo rodea y verá cuál es su lugar en el mundo. Así, entenderá la responsabilidad de sus actos y reconocerá su influencia e impacto en otras cosas. Para los niños pequeños, la educación cósmica puede realizarse, por ejemplo, con un calendario, mediante pequeños experimentos o con tarjetas de emociones en las que aparezcan personas con distintos colores de piel.

## PRINCIPIOS DE LOS MATERIALES MONTESSORI

Los materiales para la educación Montessori deben tener los 5 aspectos siguientes:

I.   El material aísla un aspecto del aprendizaje. Por ejemplo, puede centrarse en la forma, el tamaño o el peso.

II.  Los componentes individuales de los materiales están escalonados y son gradualmente distintos. Por ejemplo, la longitud de los bordes de los cubos de la Torre Rosa siempre es un centímetro más corta que la anterior.

III. Los juguetes permiten a tu hijo controlar de forma independiente sus errores. Por ejemplo, siempre hay más de una forma de resolver correctamente los puzzles o rompecabezas o los juegos de inserción. Si hay algo que no funciona, tu hijo se dará cuenta de ello y podrá corregir sus propios errores. Esto permite un mayor grado de autonomía.

IV.  Los juguetes tienen un aspecto pulcro y son estéticamente agradables. En la educación Montessori se suelen utilizar juguetes de madera, ya que son táctiles, visualmente agradables y también duraderos.

V.   El niño puede trabajar con los materiales y se le anima a interactuar activamente con ellos.

## ¿CÓMO DEBEN ELEGIRSE LOS MATERIALES?

Los padres y los profesores tienen una labor importante en la educación Montessori: observar al niño. De ese modo, pueden reaccionar ante los primeros pasos del desarrollo cognitivo y emocional y ofrecer los materiales adecuados para seguir ayudando al niño. Los juguetes ofrecidos deben ajustarse al interés del niño y a su nivel de desarrollo. Ambas cosas son, por supuesto, muy individuales. Los padres no deben limitarse a seguir directrices, sino observar atentamente cuáles son los intereses de su hijo en particular. Si tu hijo ignora los ejercicios de clasificación, no tiene sentido volver a intentarlo semana tras semana de distintas formas solo porque algunas directrices digan que el niño debería interesarse por ellos a esa edad específica. En cambio, es mucho más gratificante para ambas partes elegir materiales que interesen al niño y con los que disfrute jugando.

Según el método Montessori, un juguete no debe combinar demasiadas categorías. Por ejemplo, no debes ofrecer a tu hijo una mezcla de demasiados colores y formas. Además, el juguete debe invitar al niño a interactuar activamente con él. Para este fin, son muy adecuados los *puzzles* o rompecabezas, los bloques de construcción, la plastilina o arcilla, o los instrumentos musicales.

Los niños pequeños en particular prefieren juguetes concretos y tridimensionales que puedan sujetar y utilizar. Elige juguetes con un propósito claro. Las tarjetas con imágenes son un aspecto central de la educación Montessori. Especialmente con los niños pequeños, debes asegurarte de utilizar fotografías

13

reales. Los dibujos requieren una mayor abstracción. Seguramente has notado que los niños suelen preferir jugar con objetos cotidianos del hogar en lugar de con juguetes comprados específicamente para este fin. Los objetos reales de la vida cotidiana resultan especialmente fascinantes para los niños pequeños, ya que ven a sus padres interactuar con ellos a diario. La cuchara que mamá utiliza cada mañana para comer su cereal es mucho más interesante que una cuchara falsa de plástico. Puedes aprovechar esto y crear juguetes a partir de objetos cotidianos. También puedes recurrir a materiales naturales. Los niños están naturalmente rodeados de ellos; son 100% realistas y provienen del mundo real. A los niños les encanta jugar con castañas, bellotas, hojas, y cosas por el estilo. No le temas a la suciedad ni a las bacterias. También forman parte de la vida. Pero con los niños pequeños, tienes que asegurarte de que no se lleven cosas a la boca, ya que podrían tragárselas, lo que supone un riesgo de asfixia.

Ten especial cuidado con los objetos pequeños, los objetos punzantes y las bandejas sensoriales con agua. Siempre existe el peligro de asfixia o ahogamiento. Nunca dejes a tus hijos sin supervisión.

## ¿CÓMO DEBEN PREPARARSE LOS JUGUETES?

Hay algunas normas básicas que debes seguir a la hora de realizar tu selección de juguetes.

» Presenta los juguetes en una estantería que tu hijo pueda alcanzar. De este modo, estarán fácilmente visibles para tu hijo y podrá elegir por sí mismo los juguetes adecuados.

» Ordena las actividades según su dificultad. Esto facilita las cosas a tu hijo, ya que el orden en la estantería le permite cambiar fácilmente de una actividad a otra en caso de que haya algún problema.

» Da siempre una estructura a las cosas. Presenta los juguetes que son artículos relacionados de manera que también se les reconozca como tales. Por ejemplo, puedes colocar los aros de una torre apilable en una cesta pequeña y poner la cesta junto a la torre.

» Ofrécele los juguetes de manera atractiva. La finalidad de los materiales es animar a tu hijo a interactuar con ellos inmediatamente. Esto ocurrirá con mayor frecuencia si desmontas las actividades. Por lo tanto, no pongas un rompecabezas armado en la estantería; en cambio, coloca las piezas individuales en una cesta. Lo mismo se aplica a cualquier juego de inserción o apilamiento.

» Prepara las actividades de modo que tu hijo pueda comenzar sin tu ayuda. Esto significa que todos los materiales necesarios para la actividad deben estar al alcance de tu hijo. Si tienes una mesa sensorial en la que el niño pueda ensuciarse o mojarse las manos, asegúrate de antemano de que pueda lavarse y secarse las manos por sí mismo. Esto también aplica para cualquier actividad potencial posterior.

## ¿CÓMO SE UTILIZAN LOS JUGUETES?

La interacción con los materiales Montessori debe seguir varios principios. Dale las riendas a tu hijo. Lo ideal es que tu hijo decida de forma autónoma con qué quiere jugar.

» No interrumpas la concentración de tu hijo. Si tu hijo está concentrado en una actividad, no lo molestes comentando lo que está haciendo. Simplemente espera a que tu hijo inicie el contacto contigo.

» Permite que tu hijo explore los juegos creativos por su cuenta. Si tu hijo necesita una explicación para realizar alguna actividad, muéstrale cómo funciona el juego sin hablarle. A los niños pequeños les resulta difícil concentrarse simultáneamente en las palabras y los movimientos. Tu hijo podrá entenderte mejor si simplemente le muestras lo que tiene que hacer.

» No le pidas a tu hijo que pruebe sus conocimientos o habilidades. No le preguntes: "¿Cómo se llama este animal?" Solo debes preguntarle esto si tienes la certeza absoluta de que tu hijo puede responder fácilmente a la pregunta. Si tu hijo fracasa varias veces en estas pruebas, podría afectar negativamente a su autoconfianza.

» Ordena los materiales después de jugar junto con tu hijo. Predica con el ejemplo. No debes desmontar inmediatamente el puzzle o rompecabezas que tu hijo acaba de terminar. Esto podría provocarle tristeza. Pero puedes volver a colocarlo en la estantería y, más tarde, cuando tu hijo esté ocupado con otra cosa, puedes volver a desmontarlo. De este modo, evitarás el desorden y tu hijo se familiarizará pronto con la limpieza.

» Si tu hijo no ha ordenado los materiales de acuerdo a tus expectativas, no lo avergüences volviéndolo a poner todo como a ti te gustaría; en lugar de eso, haz pequeñas correcciones mientras tu hijo no esté presente. Una vez que el niño se haya ido a la cama, puedes volver a preparar la estantería de juguetes para que esté lista para el día siguiente.

» Cuando juegues con tu hijo, mantén la calma. Míralo a los ojos. Incluso si tu hijo tarda mucho en completar una tarea aparentemente sencilla, no debes impacientarte y darle la solución. Tardar más en una actividad es un excelente ejercicio de concentración para tu hijo. Así puede aprender mucho más que si le presentas una solución acabada.

# EL AMBIENTE PREPARADO

~

*"No es el niño quien debe adaptarse al ambiente, sino que nosotros debemos adaptar el ambiente al niño"*

*Maria Montessori*

Un ambiente Montessori brinda a tu hijo la mayor autonomía posible y le permite participar en actividades cotidianas. De esta manera, el niño se percibirá como una parte importante de la familia, se sentirá valorado y podrá desarrollar su personalidad.

> **Al amueblar este tipo de ambiente, puedes seguir tres pasos:**
> I. Elige el mobiliario de manera que tu hijo pueda ser realmente autónomo.
> II. Reconoce las posibles fuentes de peligro y acondiciona tu casa para que sea un lugar seguro para niños.
> III. Ofrece a tu hijo las herramientas necesarias para que pueda integrarse en la vida familiar (por ejemplo, cuchillos en la cocina).

Queremos familiarizarte con algunos principios para crear un ambiente Montessori en casa para tu hijo.

» Tu casa debe estar ordenada, limpia y ser agradable a la vista.

» Menos es más. Minimalismo significa deshacerse de las cosas innecesarias y conservar solo las que te son útiles o te alegran el día a día. Los objetos tienen un lugar y una función y, por tanto, tendrán cierto valor para tu hijo. El orden en el exterior puede reflejar el orden en el interior. Esto crea un ambiente predecible y comprensible para tu hijo, gracias al cual se siente seguro y su necesidad natural de orden se ve respaldada.

» Compra muebles de tamaño infantil. Tu hijo quiere participar en la vida familiar y necesita muebles especialmente adaptados para ciertas situaciones debido a su estatura más pequeña. Por ejemplo, una silla alta, también conocida como trona o periquera, para la mesa de la cena; o bien, un área de trabajo reducida a escala en la sala de estar o en el dormitorio del niño. Los muebles deben ser duraderos y ligeros, para que tu hijo sea capaz de moverlos por su cuenta.

» Observa las habitaciones a través de los ojos de un niño. Así podrás detectar posibles peligros que de otro modo habrías pasado por alto. Por otra parte, también notarás que hay muchos adornos que tu hijo no podrá disfrutar, ya que no estarán a su misma altura. Coloca cosas bonitas, como plantas o cuadros, a la altura de tu hijo.

» Ofrece a tu hijo una selección limitada de objetos. Intercambia regularmente los juguetes y da acceso a tu hijo a una cantidad selecta. Puedes establecer tiempos específicos para ello (por ejemplo, rotando los juguetes cada dos fines de semana). Siempre ten en cuenta los intereses de tu hijo y solo reemplaza aquellos juguetes que no haya utilizado. Asimismo, guarda la ropa que no corresponda a la época del año para evitar discusiones. Mantén la mesa libre de objetos innecesarios que puedan distraer a tu hijo mientras come.

» Crea un ambiente positivo, que invite al "sí". Poner objetos peligrosos o que puedan romperse al alcance de los niños es agotador para todos los implicados. Decir siempre "no" devalúa la palabra y genera un estrés innecesario para todos. Coloca los objetos que quieras proteger de tu hijo o viceversa fuera de su alcance o deshazte de ellos por completo (una planta venenosa, por ejemplo). Asegúrate de que en las habitaciones que ocupa tu hijo solo haya cosas que pueda tocar sin problemas. Un ambiente positivo facilitará considerablemente la vida familiar.

**Las ventajas de la educación Montessori son evidentes:**

» Tu hijo participa activamente en la vida de tu familia.

» Tú apoyas la independencia de tu hijo, para que pueda moverse libre y activamente.

» La capacidad de concentración de tu hijo se ve favorecida por un mobiliario minimalista y ordenado, evitando la sobreestimulación. Aprenderá a dedicar más tiempo a actividades individuales.

» Tu hijo se responsabiliza de sus pertenencias y aprende a valorarlas. Cuida de sus cosas y ordena y limpia todo lo que ensucia por sí mismo.

## ÁREA DE ENTRADA

Tiene sentido colocar un pequeño banquillo o taburete en el área de entrada para que el niño pueda sentarse mientras se viste. Así le resultará más fácil ponerse los calcetines y los zapatos de forma independiente. Los abrigos pueden colgarse en perchas a la altura de los niños. Los accesorios como gorros, bufandas, pañuelos o guantes pueden guardarse en una pequeña cesta. Los zapatos del niño también pueden tener su sitio en un pequeño tapete. Lo más aconsejable es ofrecerle únicamente ropa adecuada a la época del año, para que a tu hijo no se le ocurra salir de casa con un abrigo polar en pleno verano. Colocar un pequeño espejo o alguna lámina reflectante, donde tu hijo pueda observarse después de vestirse, le permitirá hacer correcciones. También puedes colocar una mochila para tu hijo en el área de entrada.

## SALA DE ESTAR

La sala de estar, también llamada salón, estancia, o incluso living, suele ser la pieza central de una casa. Especialmente en el caso de los niños pequeños, tiene sentido guardar la mayoría de los juguetes en este espacio. Los adultos también pasan mucho tiempo en la sala de estar, y el juego autónomo se desarrolla mejor cuando hay alguien más en la habitación. Guarda los juguetes de tu hijo donde sean fácilmente accesibles, por ejemplo, en una estantería debajo de la mesa de la sala de estar o en el mueble de la televisión. Crea una sala para que tu hijo se siente, con una mesita y una silla. Asegúrate de que esté lo suficientemente iluminada y de que los pies del niño lleguen hasta el suelo.

## COCINA

Tener autonomía en la cocina es sumamente importante para tu hijo. Incluso los niños pequeños pueden incorporarse paso a paso a las actividades de la cocina desde su primer año. Para ello, sin embargo, es importante que el niño pueda alcanzar las zonas de trabajo, ya sean barras o mesas. Una torre de aprendizaje puede ayudar en este caso (puedes encontrar instrucciones para hacerla tú mismo en Internet). Utiliza platos, vasos y cubiertos reales para tu hijo. No hace falta que utilices imitaciones de silicona o melamina, que a menudo conllevan riesgos para la salud, sobre todo con los alimentos calientes. Tu hijo aprenderá a utilizar los utensilios con cuidado y a valorarlos. Guarda los utensilios de tu hijo en un cajón al que pueda acceder de forma independiente. Así, podrá ayudar a poner la mesa.

También puedes utilizar los siguientes consejos para que tu cocina sea amigable para los niños:

» Permite que tu hijo te ayude a preparar la comida. A menudo, los niños pequeños pueden cortar fruta con un cortador de manzanas o un cortador ondulado. Los niños mayores pueden acostumbrarse a los cuchillos de verdad paso a paso, utilizando cubiertos gradualmente más afilados.

» Por supuesto, tu hijo derramará muchas cosas a lo largo del tiempo. Dale la oportunidad de limpiar todo lo que ensucie. Guarda un recogedor y un cepillo de tamaño infantil, así como un paño pequeño o una esponja, para que pueda limpiar todo lo que ensucie accidentalmente.

» Asegúrate de que tu hijo tenga acceso a las bebidas que necesite. Esto puede hacerse, por ejemplo, vertiendo agua en una jarra pequeña y colocándola sobre una mesita junto con un vaso. Pon un paño al lado para que tu hijo pueda limpiar inmediatamente cualquier derrame.

» Coloca los aperitivos que pretendes que tu hijo coma durante el día en una lata, caja o cuenco de fácil acceso. Tu hijo aprenderá a racionar estos aperitivos de forma autónoma. No rellenes el recipiente si tu hijo se lo come todo por la mañana.

## ÁREA PARA COMER

Tanto si la mesa está en la cocina como en el comedor, tu hijo siempre debe poder llegar por sí mismo a su sitio en la mesa. Existen numerosas sillas para niños con altura regulable, que incluso puedes utilizar para los más pequeños con los accesorios adecuados. Las comidas deben hacerse en familia y en la mesa. En cambio, la merienda la puede tomar el niño en su propia mesita cuando más le apetezca. Hay sillas y mesas infantiles tan bajas que incluso los más pequeños pueden llegar hasta el suelo con los pies. También debes asegurarte de que la silla alta, trona o periquera de tu hijo cuente con un reposapiés ajustable. Si tu hijo se atraganta con la comida, es más fácil que vuelva a expulsarla si tiene los pies apoyados en el suelo o en un reposapiés.

## DORMITORIO DEL NIÑO

Puedes amueblar el área de descanso de tu hijo en su habitación (a no ser que todos duerman juntos en una cama familiar). Las camas de suelo o las camas con estructura de casa son especialmente adecuadas. Asegúrate de que tu hijo pueda acostarse y levantarse sin ayuda.

El dormitorio del niño también puede albergar su guardarropa. A los niños pequeños les encanta decidir qué ponerse. Puedes satisfacer esta necesidad de autonomía proporcionándole su propio armario. Debe tener algunos cajones y un perchero al alcance del niño. Un espejo grande o una lámina reflectante le permitirán observarse con su ropa. Si tu hijo es aún muy pequeño o tiene dificultades para elegir una prenda determinada, también puedes ofrecerle dos conjuntos de ropa diarios para que elija uno de ellos. Asegúrate también de que tu hijo disponga de un lugar para depositar la ropa sucia al final del día, por ejemplo, un cesto en el cuarto de baño.

## CUARTO DE BAÑO

El cuarto de baño es otro lugar en el que debes favorecer la autonomía de tu hijo desde una edad temprana. Tu hijo debe poder alcanzar todos los utensilios necesarios, como el cepillo de dientes y la pasta dental, un peine o un cepillo, y tal vez clips para el pelo. Un espejo a su altura hará que cepillarse los dientes le resulte más sencillo. Tu hijo podrá lavarse la cara y las manos con un banquito o taburete y una extensión para la llave del grifo. De este modo, tu hijo perfeccionará rápidamente su higiene personal.

A la mayoría de los niños pequeños no les gusta que les pongan el pañal mientras están tumbados una vez que han aprendido a mantenerse de pie. A partir de ese momento, puedes reorganizar el cambiador para cambiarle el pañal de pie. En cuanto tu hijo muestre interés por ir al baño, puedes facilitarle un banquito y un asiento especial para niños. También puedes utilizar una bacinica cómoda. No olvides facilitarle el papel higiénico.

## ÁREA CREATIVA

El dormitorio del niño o la sala de estar pueden enriquecerse mediante la creación de un espacio creativo. Debe ser un lugar para que tu hijo pueda ser creativo sin límites. Proporciónale lápices, tijeras, pegatinas, y demás objetos útiles. También puedes colocar un pequeño caballete, colgar cartulinas en las paredes para que tu hijo dibuje o incluso instalar una pizarra. No existen límites para tu creatividad.

## ÁREA DE LECTURA

Se puede crear un espacio de lectura en el dormitorio o en la sala de estar. En ella, puedes proporcionar a tu hijo una selección de libros. Los libros pueden ser cambiados a intervalos regulares para que haya más variedad. Hay estanterías especiales para niños, en las que los libros pueden colocarse con la portada a la vista para que tu hijo los reconozca más fácilmente. Haz que el rincón de lectura sea cómodo, por ejemplo, con cojines y telas suaves. También puedes colocar la estantería junto al sofá o el diván.

# PREGUNTAS FRECUENTES

~

El método educativo Montessori es complejo y puede parecer difícil de aplicar la primera vez que te informas sobre él. Por eso nos gustaría responder a algunas preguntas frecuentes que pueden surgir.

## ESTOY EMBARAZADA. ¿CÓMO PUEDO PREPARAR MEJOR EL AMBIENTE?

Muchos padres primerizos amueblan con cariño el dormitorio de su hijo. En este caso, asegúrate de que todo esté a la altura del niño. No coloques los adornos justo en la parte superior de la pared, ya que tu hijo no podrá verlos allí y no disfrutará de ellos.

Arrodíllate o siéntate en el suelo. ¿Qué aspecto tiene la sala desde esta perspectiva? ¿Es atractiva? ¿Las estanterías en las que quieres colocar los juguetes están a la altura de un niño? ¿Hay tal vez alguna planta que después puedas cuidar con tu hijo? ¿La habitación está demasiado abarrotada?

Apégate a la idea de "menos es más". Limítate a unos pocos objetos selectos, no hagas la habitación demasiado colorida y evita la sobreestimulación. Pero haz que sea cómoda para ti y para tu hijo, y asegúrate de que todos los materiales y textiles sean agradables.

Durante los primeros años, un niño no necesariamente necesita una habitación propia. Si aún no has planificado una habitación, haz un rincón en la sala de estar para tu recién nacido, donde pueda explorar

el mundo durante las primeras semanas en un ambiente seguro.

## ¿NECESITO MUCHOS MUEBLES NUEVOS PARA APLICAR EL MÉTODO MONTESSORI?

Es posible que alguna vez hayas visto las famosas estanterías Montessori, donde los juguetes se presentan de forma atractiva, o que te hayas topado con muebles especialmente diseñados para que los niños tengan su área de trabajo en la cocina o el baño. Pero para aplicar el método Montessori no necesariamente se necesitan muebles nuevos. Basta con crear una atractiva área de juego en tu sala de estar. Tal vez tengas una mesa de poca altura que tu hijo pueda alcanzar fácilmente, o tal vez puedas vaciar la parte más baja de la estantería o el espacio de almacenamiento que hay debajo de la mesa de la sala de estar.

## ¿LA FILOSOFÍA EDUCATIVA MONTESSORI SIGUE SIENDO VIGENTE Y RELEVANTE?

La pedagogía de Maria Montessori tiene más de 100 años. Pero su forma de permitir que los niños se desarrollen libremente en un ambiente preparado está más vigente que nunca. El número de guarderías y escuelas Montessori no deja de crecer. Además, las investigaciones modernas sobre el cerebro demuestran que muchas de las cosas que Maria Montessori observó también pueden constatarse en el desarrollo cerebral. La investigación neuronal demuestra que el aprendizaje se ve favorecido por la actividad independiente. El famoso neurocientífico Manfred Spitzer también habla de plazos o periodos críticos en los que determinados comportamientos se aprenden con mayor facilidad. Si se salta este marco temporal, será mucho más difícil, por ejemplo, aprender el lenguaje. Spitzer también dice que los niños necesitan diversas ofertas adecuadas a su edad para desarrollar sus experiencias. Es labor de los adultos ofrecer estos estímulos y oportunidades para aprender. Los ejercicios y repeticiones con materiales Montessori están verificados por la investigación moderna sobre el aprendizaje. Las sinapsis de nuestro cerebro se extienden progresivamente cuanto más a menudo repetimos una acción determinada. "La práctica hace al maestro" no es solo un viejo dicho, sino algo que está fundamentado científicamente. El método Montessori está más vigente que nunca.

## ¿CÓMO PUEDO UTILIZAR EL MÉTODO MONTESSORI EN MI VIDA COTIDIANA?

La educación Montessori consiste principalmente en una mentalidad que permite a tu hijo ser autónomo e independiente desde el principio, manteniéndose fiel al lema de "ayúdame a ayudarme a mí mismo". Esto puede surgir en la vida cotidiana de varias maneras. Por ejemplo, puedes reorganizar tu casa para que tu hijo sea autónomo a pesar de su altura con la ayuda de una torre de aprendizaje en la cocina o un armario donde pueda cambiarse de ropa sin tu ayuda. El área de juegos o el dormitorio de tu hijo también deben ajustarse especialmente a su estatura.

Las habilidades que tu hijo necesita para adquirir una independencia temprana pueden aprenderse de forma lúdica. Las ideas de juego propuestas en este libro pretenden fomentar la autonomía de tu hijo desde una edad temprana.

## EL LUGAR DONDE VIVIMOS ES MUY PEQUEÑO. ¿AÚN ASÍ TIENE SENTIDO APLICAR EL MÉTODO MONTESSORI?

Sí, el método Montessori tiene sentido incluso en los hogares más pequeños. La educación Montessori pretende convertir a tu hijo en una persona independiente, segura de sí misma y responsable. Incluso en espacios pequeños, hay maneras para que tu hijo actúe de forma independiente. Tal vez solo necesites tener un poco más de creatividad.

Los guardarropas suelen construirse con pocos materiales, y las versiones "hazlo tú mismo" suelen ahorrar más espacio que los modelos prefabricados. Incluso en un cuarto de baño diminuto, puedes crear un área de aseo para tu hijo, tal vez detrás de la puerta o colocándola en una pared o en la bañera con ventosas. Tu hijo tampoco necesita una cocina infantil, como suele mostrarse en los blogs, si no tienes espacio para ello. Basta con que trabajen juntos en la mesa de la cocina, la torre de aprendizaje o la barra. Y, de igual manera, puedes colocar en un pequeño pasillo o rellano una cesta para la ropa de tu hijo o un lugar donde guarde sus zapatos.

## ¿PARA QUÉ TIPO DE NIÑOS ES ADECUADO EL MÉTODO MONTESSORI Y EN QUÉ CASOS NO LO ES?

En general, el método Montessori es adecuado para la mayoría de los niños. La idea es permitir que los niños se desarrollen libremente en un ambiente preparado. Los niños tienen una curiosidad innata y pueden desarrollarla a través de la educación Montessori.

Puedes ajustar la estructura para adaptarla a tu hijo. Es posible que un niño con dificultades para concentrarse en los ejercicios no se beneficie de que se le ofrezcan muchas cosas al mismo tiempo. Con los niños que están poniendo a prueba sus límites, puedes trabajar con un ambiente que invite al "sí".

Sin embargo, puede haber niños que se sientan abrumados por la libertad y la selección. Esto suele notarse en la escuela. Por ello, algunos padres se preguntan si su hijo es realmente apto. Lo cierto es que todos los niños pueden aprender a manejar la libertad de elección; algunos simplemente necesitan que se les lleve un poco más de la mano. En este sentido, es importante que los adultos observen bien y brinden al niño la ayuda que necesita si es evidente que está completamente abrumado. Y con el método Maria Montessori, hay muchas reglas que los alumnos deben respetar. Los adultos establecen la estructura dentro de la cual el niño puede moverse libremente.

La pregunta más importante es: ¿para qué tipo de padres es adecuado el método Montessori?

Si para ti es importante que tus hijos aprendan a la misma velocidad que la mayoría de los demás niños, o si te gusta comparar o necesitas mucha validación externa para asegurarte de que tu hijo está aprendiendo lo suficientemente bien, es posible que este método libre y más observador no sea el adecuado para ti.

## ¿LOS JUGUETES MONTESSORI SON CAROS?

En la educación Montessori se utilizan juguetes fabricados con materiales naturales, preferiblemente madera. Estos pueden ser bastante caros y últimamente lo son más debido a la escasez de recursos y a la inflación.

La buena noticia es que no hace falta comprar montones de juguetes Montessori. Con los materiales adecuados, puedes construir tus propios juguetes. Te sorprenderá la cantidad de materiales que ya tienes en casa o que puedes comprar a bajo precio en tiendas de manualidades. Puedes emplear tu creatividad.

Si quieres comprar juguetes con recursos económicos limitados, lo mejor es comprar aquellos que sabes que tu hijo disfrutará durante mucho tiempo.

Puedes utilizar telas de seda para muchas ideas de juegos dirigidos a bebés, e incluso cuando tu hijo sea mayor seguirá disfrutándolas, como cuando la tela verde se convierte en un pasto dentro del mundo que tu hijo ha imaginado. También se pueden comprar muchos juguetes usados en buen estado en Internet o en ventas de garaje y mercados de segunda mano.

## ¿NO DEBERÍA COMPRAR JUGUETES FABRICADOS CON PLÁSTICO NUNCA MÁS?

Por favor, no pienses que la educación Montessori

es limitante. Los juguetes normales y los Montessori no se excluyen mutuamente. En la actualidad, la mayoría de los padres no estructuran todo el día de acuerdo con los principios Montessori y, en cambio, solamente recurren a los materiales selectos. Pero igualmente puedes tener en cuenta la filosofía Montessori a la hora de elegir los juguetes. Por ejemplo, compra juegos de Lego que representen situaciones de la vida real en lugar de los que representan mundos de fantasía. Por supuesto, también puedes comprar juguetes de plástico o algún artículo muy deseado.

A menudo, pero no siempre, se pueden encontrar los mismos juguetes hechos de madera. Estos suelen ser más caros que sus equivalentes de plástico. Aun así, son una buena inversión, sobre todo si se trata de algo que tu hijo disfrutará durante mucho tiempo. También puedes fabricar tú mismo muchos juguetes con objetos domésticos ordinarios. En este libro encontrarás muchas ideas.

## ¿EN QUÉ CONSISTEN LAS ROTACIONES DE JUGUETES?

En la educación Montessori, evitamos dar a los niños demasiados juguetes a la vez. Los niños que tienen muchos juguetes a su disposición suelen ocuparse de una actividad determinada durante menos tiempo. En lugar de eso, da a tu hijo menos juguetes y cámbialos regularmente. Así, tu hijo jugará más tiempo con cada uno de ellos.

Ten en cuenta los intereses de tu hijo. Puedes guardar los juguetes con los que no ha jugado durante una semana. En su lugar, ofrécele otra cosa. Es aconsejable rotar los juguetes de este modo cuando tu hijo no está presente, por ejemplo, cuando duerme.

Tú decides con qué frecuencia rotar los juguetes. Lo normal es hacerlo al cabo de una o dos semanas, pero puedes adaptarte a las circunstancias del momento.

## ¿DÓNDE GUARDO LOS JUGUETES QUE NO UTILIZO?

Lo más aconsejable es guardarlos en un lugar al que tu hijo no pueda acceder. Así, no podrá escabullirse sin ser visto, tomar alguno de los juguetes y crear un caos.

Conserva el empaque de todos los juguetes. De este modo, no perderás ninguna pieza pequeña al guardarlos. Contar con el empaque original siempre es una ventaja si piensas venderlos una vez que tu hijo haya crecido y ya no los utilice. Si has fabricado algo, puedes guardarlo en sobres o cajas pequeñas. Etiquétalas bien para siempre saber dónde encontrar cada cosa.

## ¿CÓMO PUEDO PRESENTAR LOS JUGUETES DE FORMA ATRACTIVA?

Tu hijo debe poder ver y alcanzar fácilmente todos los juguetes. Coloca los materiales a la altura de tu hijo. Pon las cosas pesadas abajo y las más ligeras arriba, ordenadas por dificultad.

Los juguetes deben ser atractivos. No guardes los puzzles o rompecabezas cuando estén armados; en su lugar, coloca las piezas individuales en una pequeña cesta.

## ¿CÓMO PUEDO GARANTIZAR EL ORDEN?

Debido al reducido número de juguetes, no suele haber demasiado caos. Asegúrate de crear un espacio de juego y evita dejar piezas sueltas por ahí. En varias tiendas encontrarás cestas grandes y pequeñas de bajo costo que puedes utilizar para los juguetes de bebé. Podrás guardar los juguetes de forma fácilmente visible y ordenada. Para los juguetes más grandes, puedes utilizar mesitas de madera.

Después de jugar con tu hijo, siempre recoge y ordena todo. El juguete con el que hayas terminado de jugar, vuelve a colocarlo siempre en su sitio. Te sorprenderá lo rápido que tu hijo copiará este comportamiento y te ayudará a ordenar. Predica con el ejemplo desde temprana edad.

## MI HIJO NO UTILIZA LOS JUGUETES DE LA FORMA QUE YO IMAGINABA. ESTO ME PROVOCA FRUSTRACIÓN. ¿QUÉ PUEDO HACER?

Libérate de la idea de que tu hijo debe jugar con los juguetes de una forma "correcta". Las ofertas de juguetes son simplemente eso: ofertas. Si tu hijo no quiere utilizarlos para el fin previsto y prefiere hacer otra cosa con ellos, no pasa nada. Si esto ocurre con regularidad, puedes preguntarte si los juguetes se ajustan al nivel de desarrollo de tu hijo o si son demasiado fáciles o demasiado difíciles, y si por eso los "utiliza mal" con tanta frecuencia. Si tu hijo ignora algunas de las ofertas y no las utiliza, simplemente guárdalas y observa los intereses actuales de tu hijo.

## A MI HIJO LO CUIDA UNA CUIDADORA EN UNA GUARDERÍA. NO ES UNA GUARDERÍA MONTESSORI. ¿SIGUE TENIENDO SENTIDO APLICAR EL MÉTODO EN CASA?

La mayoría de los padres se darán cuenta en algún momento de que, en determinadas situaciones, su hijo se enfrenta a métodos educativos un poco o muy distintos a los que se practican en casa. Si sigues el método Montessori en casa, tu hijo seguirá beneficiándose de él, aunque pase ocho horas al día en el jardín de infancia o en una guardería. El método Montessori no tiene por qué practicarse las 24 horas del día. Se trata de la idea de ver a tu hijo como una persona independiente y autónoma desde una edad temprana y apoyar esta autonomía. Esto se puede seguir practicando, independientemente de cómo se eduque al niño.

También hay que decir que el método Montessori se ha abierto camino en la mayoría de jardines de infancia y guarderías. Puede que no todas cuenten con materiales Montessori y que las cuidadoras y profesoras no sean expertas. Aun así, el enfoque moderno consiste en ser participativo y ponerse al nivel de los ojos del niño. En este sentido, las guarderías han interiorizado el aspecto más importante. Además, tu hijo también se beneficiará de ver otros métodos educativos, por ejemplo, con sus abuelos. De este modo, cada niño se hará a la idea de que los límites y las expectativas de cada persona son distintos. En general, los niños pueden sobrellevarlo muy bien; solo tienen que descubrir qué es importante para cada adulto en concreto. Así, los niños pueden reaccionar ante las distintas normas. Solamente resulta difícil cuando una persona cambia de comportamiento en varias ocasiones.

## ¿REALMENTE ES NECESARIO EL MÉTODO MONTESSORI PARA AYUDAR CON LA CREATIVIDAD Y LA AUTONOMÍA?

El método Montessori es uno de los muchos que ustedes, como padres, pueden seguir. Incluso sin educación Montessori, los niños pueden llegar a ser creativos e independientes. Sin embargo, la idea de Maria Montessori puede ayudar a tu hijo desde una edad temprana a encontrar el camino hacia la autosuficiencia y a desarrollar el deseo de cuidar de sí mismo y de los demás.

## ¿QUÉ PASA SI NO SIEMPRE PUEDO SEGUIR EL MÉTODO MONTESSORI?

Como ya hemos dicho, lo más importante es tu mentalidad. Apégate a ella y vívela con convicción. No pasa nada si te olvidas de la rotación de juguetes, dejas la habitación del niño como está durante un tiempo o no tienes nada nuevo que ofrecer a tu hijo durante un tiempo. Eres humano, no exageres. Si das a tu hijo materiales nuevos, pero al mismo tiempo estás estresado, no sacará ningún provecho de ello.

## ¿QUÉ PASA SI MI HIJO NO ACEPTA ALGUNA DE LAS IDEAS DEL LIBRO?

La respuesta clara es que no debes agobiar a tu hijo. Tu hijo no tiene por qué ser perfecto en todo ni disfrutar con todo. Los niños eligen sus intereses y lo que quieren aprender. Tú les das ideas. Si ves que tu hijo todavía no puede vestirse solo o no quiere hacerlo porque aún no posee las habilidades motrices necesarias, es tu trabajo ayudarle y estar ahí como padre. También debes diferenciar entre autonomía y abandono. En ocasiones, los niños solo quieren que hagas las cosas por ellos, aunque ellos también podrían hacerlas. Especialmente al vestirse, existe un componente de relación muy significativo. A tu hijo le gusta que lo ayudes y lo cuides. Encuentra el mejor punto medio y no insistas siempre en que tu hijo tiene que hacerlo todo solo, aunque pueda.

## ¿TENGO QUE DEJAR QUE MI HIJO LO HAGA TODO?

La respuesta rotunda es: ¡no! Sin embargo, debes combinar el método Montessori con una relación orientada a las necesidades y el apego. Toma en serio a tu hijo y considéralo como un semejante. Establece límites cuando sea necesario y confía en tu mente adulta. Ten en cuenta tus propios límites y explícalos a tu hijo de forma amistosa pero asertiva. Cuando el niño sea mayor, puedes establecer algunas normas. Esto no suele funcionar con los niños pequeños, pero siempre puedes explicarlas. Además, aceptar un "no" amistoso forma parte de la vida y es necesario aprenderlo.

## ENTONCES, ¿CÓMO TRABAJO CON ESTE LIBRO?

Puedes considerar el enfoque Montessori y las ideas de este libro como una especie de bufé en el que puedes elegir lo que mejor se adapte a ti y a tu familia y te ayude en tu vida diaria. No abrumes a tu hijo ni a ti mismo. Cuestiónate y obsérvate a ti mismo y a tu hijo y elige lo que resulte mejor para todos.

# DE 0 A 3 MESES

~

En esta etapa, tu hijo no necesita muchos juguetes. En cambio, el niño debe aprender los límites de su propio cuerpo y experimentará por primera vez muchas influencias ambientales. Al principio, tu hijo dormirá la mayor parte del tiempo, pero al cabo de un tiempo comenzará a mostrar interés por lo que lo rodea. Puedes ayudarlo ofreciéndole estímulos que no lo abrumen y que, al mismo tiempo, despierten su interés.

**Desarrollo motriz:** en los tres primeros meses, tu bebé aprenderá a mantener la cabeza erguida y a controlar el torso. En los dos primeros meses, las manos del bebé se cierran principalmente en puños y, debido al reflejo de prensión, agarra todo lo que se le da. En el tercer mes, las manos están más abiertas. Tu hijo ya puede sujetar objetos conscientemente y llevárselos a la boca. Puedes ayudar a tu hijo ofreciéndole juguetes para agarrar.

**Desarrollo sensorial:** los bebés solo pueden ver con claridad a una distancia de unos 30 cm después de nacer. Esa es la distancia que separa la cara de la madre de su bebé al alimentarlo. Al principio, los bebés casi solo pueden ver en blanco y negro (aunque se ha observado una preferencia por el rojo en algunos bebés), y pueden distinguir entre la luz y la oscuridad. A los dos meses, el bebé desarrolla el sentido de los colores y puede percibir contrastes marcados y colores primarios. A los tres meses, puede ver claramente a una distancia de dos metros y medio.

Los móviles de este capítulo se basan en la visión de tu hijo en los tres primeros meses de vida. Se centran exclusivamente en contrastes en blanco y negro al principio y en deslumbrantes colores primarios más adelante. Puedes adaptar con flexibilidad los móviles caseros a la etapa de desarrollo de tu hijo comprando un arco de juguete de madera que aún no tenga nada acoplado. Si ya has recibido un arco de juguete como regalo de un familiar, puedes simplemente cortar las cuerdas y volver a pintarlo en un tono neutro de madera, si es necesario, para que la atención del niño se centre en el móvil en cuestión sin distracciones.

**Desarrollo cognitivo y relacional:** Los bebés deben aprender a adaptarse a su ambiente después de nacer. Esta adaptación se ve facilitada por los reflejos, la mayoría de los cuales desaparecen en los tres primeros meses. El bebé se comunica mediante el llanto y puede así decir lo que le gusta y lo que no a partir del segundo mes de vida. Aproximadamente a las cuatro semanas, se desarrolla la sonrisa consciente. En los tres primeros meses de vida, el niño desarrolla también su primer ritmo día-noche.

# MÓVILES

En la educación Montessori, los móviles no son una distracción ni un auxiliar del sueño. Al contrario, permiten al recién nacido relacionarse con su ambiente. Por eso no debes colgar los móviles encima de la cama o del cambiador, sino sobre el área de juego, por ejemplo, en la sala de estar. Allí, tu hijo podrá moverse libremente. Coloca a tu hijo debajo del móvil cuando esté despierto y atento.

## EL MÓVIL MUNARI

El móvil Munari utiliza formas geométricas claras y contrastes en blanco y negro. Puedes hacer este móvil fácilmente y solo necesitas cartulina en blanco y negro y una pelota transparente con un gancho. Encontrarás muchas instrucciones gratuitas para su impresión y construcción en Internet, pero también puedes comprarlos ya hechos en sitios como Etsy.

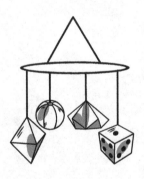

**¿A partir de qué edad?** Desde el nacimiento.

**Tiempo necesario:** una hora

**Preparación:** media

**¿En qué favorece?** Concentración, vista.

**Materiales:** cartulina blanca y negra, pelota transparente con gancho

## IMÁGENES DE CONTRASTE

A los bebés les encantan los contrastes marcados. Puedes mostrárselos a tu bebé no solo mediante un móvil, sino también con tarjetas de contraste. Es importante que solo haya una imagen por cara o tarjeta, por ejemplo, un animal negro sobre fondo blanco sin muchos detalles. Estas imágenes de contraste se pueden pegar al arco de juego a modo de móvil con un poco de cuerda o colocarse contra la pared. En Internet hay plantillas para imprimir (a menudo gratuitas), e incluso se pueden conseguir libros completos de contrastes.

**¿A partir de qué edad?** Desde las 3 semanas.

**¿En qué favorece?** Percepción de contrastes y algunos detalles

Ya hemos preparado imágenes de contraste imprimibles gratuitamente:

# PELOTAS DE CONTRASTE

Utilizando patrones sencillos, como la repetición de rayas blancas y negras, rayas negras, puntos rojos, etc., puedes pintar grandes pelotas blancas de poliestireno o pelotas transparentes con colores de alto contraste (preferiblemente negro, blanco y rojo). No agobies a tu hijo con una mezcla alocada de dibujos. Puedes colocar las pelotas a distintas alturas para que todo le resulte más interesante.

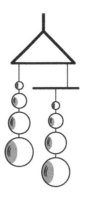

**¿A partir de qué edad?**
Desde las 4 semanas.

**Tiempo necesario:** una hora

**Preparación:** media

**¿En qué favorece?**
Concentración, percepción del color primario rojo

**Materiales:** Pelotas de espuma de poliestireno o pelotas transparentes, colores

**¿A partir de qué edad?**
Desde las 5 semanas.

**Tiempo necesario:** una hora

**Preparación:** media

**¿En qué favorece?**
Percepción de los colores primarios, visión estereoscópica

**Materiales:** Cartulina metálica

# EL MÓVIL OCTAEDRO

Los octaedros están formados por triángulos equiláteros, metálicos y brillantes, y suelen realizarse con cartulina metálica. Los octaedros se colocan a distintas alturas. Tu bebé podrá ver fácilmente los colores brillantes y resplandecientes y observará el móvil con interés. Asegúrate de utilizar un solo color por octaedro para no sobreestimular a tu hijo.

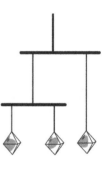

# EL MÓVIL GOBBI

Este móvil está compuesto por cinco pelotas dispuestas una junto a otra y envueltas en hilo de tejer. Para ello, puedes utilizar pelotas de espuma de poliestireno (de unos 4 cm de diámetro) disponibles en el mercado. Son muy ligeras y, por lo tanto, se mueven incluso con un poco de viento. Esto las hará aún más interesantes para tu hijo.

La finalidad de este móvil es mostrar a tu hijo los distintos tonos de un color. Para ello, utiliza hilo de tejer de la misma familia de colores, por ejemplo, distintos tonos de azul. El ovillo de color más oscuro se coloca en la parte inferior y el más claro en la superior. Esto lo hará más interesante para el niño.

**¿A partir de qué edad?**
Desde las 8 semanas.

**Tiempo necesario:** una hora

**Preparación:** media

**¿En qué favorece?**
Percepción de los grados de color

**Materiales:** Pelotas de espuma de poliestireno, hilo para tejer

# JUGUETES DE AGARRE

**¿A partir de qué edad?**
Desde las 4 semanas.

**Tiempo necesario:**
5 Minutos

**Preparación:** fácil

**¿En qué favorece?** Posición de manos abiertas, intentos de agarre

**Materiales:** Listones o aperta, tentativi di presa

## EJERCICIOS DE AGARRE EN EL ARCO DE JUEGO

Anuda listones (listones para envolver regalos) en la parte superior del arco de juego. Tu bebé disfrutará con los distintos colores e intentará agarrar los listones.

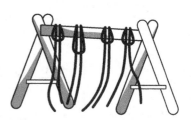

## AROS DE AGARRE

Hay muchos anillos de agarre de madera disponibles por un precio mínimo. Si te gustan las manualidades, puedes tejer a ganchillo algunas cuentas de madera, luego enhebrarlas y cerrarlas para formar un aro. Asegúrate de utilizar lana de bebé. Puedes tejer a ganchillo un pequeño cascabel en el aro para hacerlo aún más interesante.

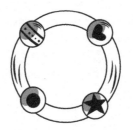

**¿A partir de qué edad?**
Desde las 6 semanas.

**¿En qué favorece?**
Agarre y exploración oral

**Materiales:** Cuentas de madera, lana de bebé, cascabeles

## SONAJEROS

**¿A partir de qué edad?**
Desde las 6 semanas.

**¿En qué favorece?**
Agarre, músculos de los brazos, autoeficacia

Tan pronto como tu bebé pueda agarrar objetos, puedes ofrecerle su primer sonajero. La regla es: menos es más. Elige sonajeros de materiales naturales con sonidos atractivos y tacto agradable, en lugar de muchos sonajeros distintos de plástico. Los sonajeros de madera son especialmente adecuados para los primeros meses de vida. Cuando tu bebé sea un poco más grande y domine mejor el agarre, puedes ofrecerle distintos sonajeros hechos por ti que emitan sonidos diversos. Encontrarás las instrucciones en el capítulo con ideas de juego para bebés a partir de 6 meses.

# PELOTA O-BALL

Las pelotas O-ball son muy populares entre los bebés porque son especialmente fáciles de agarrar y suelen tener colores llamativos. Incluso las hay con pequeños cascabeles o sonajeros insertados, según tus preferencias.

Puedes darle la pelota O-ball a tu hijo para que la sujete. También puedes atar la pelota al arco de juego para variar un poco las cosas. Tu hijo intentará agarrarla y, si lo consigue, probablemente tirará de ella con entusiasmo. Para evitar que el arco de juego se caiga, puedes atar o coser una goma elástica o liga a la cuerda con la que sujetes la pelota para que tu hijo pueda tirar de ella hacia abajo. Esto refuerza la coordinación mano-ojo y, al mismo tiempo, favorece la fuerza en las manos.

**¿A partir de qué edad?**
Desde las 7 semanas.

**¿En qué favorece?**
Agarrar y soltar conscientemente

**¿A partir de qué edad?**
Desde las 10 semanas.

**¿En qué favorece?**
Agarre consciente, percepción de los cuerpos, juego en posición decúbito prono corpi, giocare in posizione prona

# BLOQUES DE CONSTRUCCIÓN BLANDOS

Los bloques de construcción no necesariamente tienen que ser de madera. Los bloques apilables, en particular, suelen ser de plástico. Tu hijo puede palparlos con interés y explorarlos con la boca de forma segura. También puedes ofrecerle los bloques de construcción mientras está tumbado boca abajo. Puede ser una buena idea apoyar al niño con una manta enrollada o una toalla enrollada debajo del pecho.

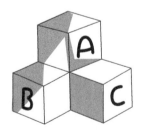

# EJERCICIOS PARA TODOS LOS DÍAS

## HABLAR DE COSAS COTIDIANAS

Los bebés dependen totalmente de sus padres. Se les cambia el pañal o se les sostiene en brazos, se les cambia la ropa, se les levanta y se les lleva de un lado a otro. Para que todo resulte más cómodo y menos abrupto para tu bebé, solo debes moverlo con suavidad y abstenerte de movimientos repentinos y bruscos. Di a tu hijo lo que vas a hacer. Por ejemplo, anuncia que vas a levantarlo. También, cuando lo cambies o lo vistas, dile lo que estás haciendo.

## IMITAR EXPRESIONES FACIALES

Siéntate cómodamente y coloca a tu hijo sobre tus piernas inclinadas. Charla con él utilizando distintas expresiones faciales. Te sorprenderá ver cómo tu hijo intenta imitar tus expresiones faciales. Esto le resultará especialmente interesante a partir de los dos meses.

## COLOCA UN ESPEJO

Coloca un espejo bajo y ancho en la pared junto al arco de juego. Así, tu hijo podrá observar los móviles desde distintas perspectivas. Por ejemplo, puedes encontrar modelos irrompibles a bajo precio en las cadenas de tiendas de muebles baratos.

Si tu hijo prefiere girar la cabeza hacia un solo lado, puedes colocar el espejo en el lado menos habitual y animarlo a que también gire la cabeza en esa dirección. Esto ayuda a evitar la tensión o una postura torcida.

Pero también puedes utilizar el espejo sin un arco de juego, por ejemplo, cuando tu hijo está tumbado boca abajo. Seguramente tu hijo encontrará su propio reflejo muy interesante.

## MANOS LIBRES

Los padres suelen proteger las manos de
sus hijos con guantes de algodón ligero.
Se supone que así los niños no se arañan
ni se hacen daño con las uñas. En la
educación Montessori, estos guantes no
son utilizados deliberadamente. Los bebés
deben experimentar su entorno con todos los
sentidos y desarrollar un buen conocimiento
de su cuerpo. Además, incluso los bebés
nonatos se calman en el vientre materno
con sus propias manos, por lo que esta
estrategia tranquilizadora no debe impedirse
artificialmente, sobre todo en el primer
periodo tras el nacimiento. Más adelante,
las manos de tu hijo serán lo primero que
explore conscientemente con la boca.

# DE 3 A 6 MESES

~

**Desarrollo motriz:** El reflejo de prensión de los bebés de tres meses disminuye cada vez más y ahora se sustituye por la prensión intencionada. Al principio, todavía le cuesta soltar los objetos. Sin embargo, a los seis meses, el reflejo de prensión ha desaparecido por completo y puede soltar los objetos, darles la vuelta, lanzarlos e incluso sacudirlos a voluntad. Ofrece a tu hijo juguetes de agarre que lo motiven a explorarlos con cuidado y a pasarlos de una mano a otra.

Los bebés ya pueden sostener la cabeza con seguridad y controlar el tronco. Cada vez se mueven más, se voltean de la barriga a la espalda y después en sentido contrario. Muchos niños hacen sus primeros intentos de gatear, y algunos ya pueden avanzar algunos centímetros.

**Desarrollo sensorial:** Tu hijo explora ampliamente distintas texturas, preferiblemente con la boca. Esto es la denominada fase oral. Tu hijo puede percibir espacialmente, reconocer las cosas un poco más lejanas y seguirlas con la vista. Ya puedes ofrecerle móviles de colores vivos, para los que necesita más concentración.

Tu bebé puede localizar sonidos y reconocer las voces de sus parientes más cercanos. Dirige su atención hacia las fuentes de sonido. Puedes aprovechar este desarrollo ofreciéndole distintas fuentes de sonido.

**Desarrollo del lenguaje:** Tu hijo comienza a producir sonidos y a balbucear las primeras sílabas. Intenta imitar los sonidos que oye. Habla mucho con tu hijo.

**Desarrollo cognitivo y relacional:** Tu hijo sonríe espontáneamente a las personas y juega mucho. Tras haber estado influenciado exclusivamente por las personas más cercanas en sus primeros meses de vida, tu hijo ahora desarrolla lentamente la curiosidad por otras cosas. Ahora comienza a jugar mucho. Deja que tu hijo descubra tranquilamente su entorno y no lo molestes cuando esté jugando intensamente. No comentes ninguna de sus acciones durante estas fases, pero observa a tu hijo mientras se relaciona con su entorno.

# COORDINACIÓN MANO-OJO

**¿A partir de qué edad?**
Desde los 3 meses

**Tiempo necesario:**
5 Minutos

**Preparación:** fácil

**¿En qué favorece?**
Agarrar y soltar con intención

**Materiales:** Anillos de madera o plástico, cinta, goma elástica o liga

## AROS DE AGARRE EN EL ARCO DE JUEGO

Sujeta los aros de madera o plástico al arco de juego con una goma elástica o liga. Tu hijo intentará alcanzarlos y, si lo consigue, tirará de ellos. Para que el arco de juego no se caiga, debes también coserle o atarle una banda elástica.

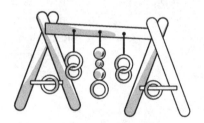

## UNA PELOTA *PUZZLE*

La pelota puzzle es una pelota textil de unos 12,5 cm de diámetro que lleva un pequeño cascabel escondido en su interior y que a veces también se encuentra bajo el nombre de pelota Takane. Puedes hacerla tú mismo, cosiéndola o tejiéndola a ganchillo. En Internet abundan las instrucciones gratuitas.

Estas pelotas son fáciles de sujetar por su forma especial, y tu hijo puede agarrarlas fácilmente con las manos y los pies. Más adelante, cuando tu bebé adquiera más movilidad, la pelota puzzle le ofrece incentivos para deslizarse sobre su barriguita y gatear mientras rueda, pero no llega muy lejos.

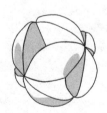

**¿A partir de qué edad?**
Desde los 3 meses

**Tiempo necesario:** 2 horas o más

**Preparación:** fácil

**¿En qué favorece?**
Prensión intencionada, coordinación mano-mano

**Materiales:** Cascabeles pequeños, tela para tejer a ganchillo o coser

# RESCATAR JUGUETES

**¿A partir de qué edad?**
Desde los 4 meses

**Tiempo necesario:** 5 Minutos

**Preparación:** fácil

**¿En qué favorece?** Coordinación mano-ojo, músculos de la mano

**Materiales:** Juguetes para agarrar, cinta adhesiva

Fija al suelo con cinta adhesiva los juguetes de agarre que tu hijo ya conozca y deja que los levante del suelo.

# SACAR PAÑOS DE SEDA O PAÑUELOS DE UNA CAJA

Coloca una caja de cartón con pañuelos de papel delante de tu hijo y permite que los saque. Sujeta la caja mientras lo hace para que tu hijo pueda concentrarse plenamente en sacarlos. Por supuesto, puedes seguir utilizando los pañuelos después de la actividad.

Si tu hijo se mete inmediatamente los pañuelos en la boca y estos se disuelven, puedes poner paños de seda anudados en la caja. Esta idea de juego también es divertida para los bebés de mayor edad, que ya pueden sentarse solos y sostener la caja sin ayuda.

**¿A partir de qué edad?**
Desde los 4 meses

**Tiempo necesario:**
5 Minutos

**Preparación:** fácil

**¿En qué favorece?**
Agarrar y soltar con intención

**Materiales:** Caja de cartón, pañuelos de papel o de seda

# DISCOS INTERCONECTADOS

**¿A partir de qué edad?**
Desde los 5 meses

**¿En qué favorece?**
Pasar cosas de una mano a la otra

Los discos interconectados son un juguete de madera muy sencillo pero eficaz que consiste en dos discos unidos entre sí, cada uno de 5 cm de diámetro. Son especialmente adecuados para explorar con las dos manos. Si alguna vez un disco se cae, no rueda muy lejos, por lo que el niño puede recogerlo solo y no se frustra innecesariamente.

# FORMAS Y COLORES

## COLOCAR LIBROS EN SEMICÍRCULO

Coloca los libros abiertos en semicírculo. Coloca a tu hijo en el centro y deja que observe los libros. Asegúrate de que solo aparezca un dibujo en cada página. Al principio, los libros que contrastan imágenes simples son adecuados. Pero, más adelante, también puedes utilizar libros para colorear con dibujos bien definidos.

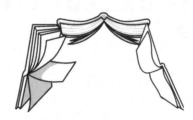

**¿A partir de qué edad?**
Desde los 3 meses

**Tiempo necesario:**
5 Minutos

**Preparación:** fácil

**¿En qué favorece?**
Percepción de contrastes, concentración, control del torso

**Materiales:** Libros de contraste

## EL MÓVIL DE LOS BAILARINES

El móvil de los bailarines solo es adecuado para bebés mayores, a partir de los 3 meses, ya que imita el movimiento dinámico de un ser humano y requiere bastante concentración por parte del niño. Las tres partes que componen cada bailarín se mueven independientemente las unas de las otras.

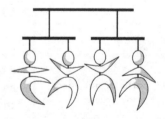

Puedes confeccionar los bailarines con una lámina holográfica o con cartulina de colores metálicos, por ejemplo, para que brillen de maravilla y le resulten adicionalmente interesantes a tu hijo. La cabeza del bailarín es un círculo, y los brazos y las piernas tienen la forma de una media luna estilizada. Cuando ensambles las piezas individuales con aguja e hilo, asegúrate de dejar un poco de espacio entre ellas para que el móvil tenga el aspecto más dinámico posible.

**¿A partir de qué edad?**
Desde los 3 meses

**Tiempo necesario:** una hora

**Preparación:** media

**¿En qué favorece?**
Visión espacial, concentración

**Materiales:** Lámina holográfica, cartulina de colores, aguja, hilo

# COLORES DEL ARCOÍRIS EN EL ARCO DE JUEGO

Cuelga los aros de colores en cintas o listones de la misma gama cromática en el arco de juego. A tu hijo le fascinarán los fuertes contrastes de los colores.

**¿A partir de qué edad?**
Desde los 3 meses

**Tiempo necesario:**
5 Minutos

**Preparación:** fácil

**¿En qué favorece?**
Percepción de los colores primarios, concentración

**Materiales:** Aros de colores, cintas o listones

---

# PELOTAS DE DISTINTOS TAMAÑOS

**¿A partir de qué edad?**
Desde los 3 meses

**¿En qué favorece?**
Percepción del tamaño

Ofrece a tu hijo pelotas simples de distintos colores mientras esté en posición decúbito prono. Estas pelotas pueden ser de madera o fieltro, pero también puedes confeccionarlas a ganchillo o tejerlas. Cada pelota debe ser de un tamaño distinto.

---

# UN SIMPLE JUEGO DE SOMBRAS

Esta idea de juego es muy fácil de poner en práctica con materiales domésticos. Extiende un trozo de película transparente sobre una de las dos aberturas de un rollo de papel higiénico vacío y, a continuación, coloca una liga o goma elástica sobre la película transparente para fijarla. Con rotuladores de colores o pintura, dibuja una forma sencilla, como una estrella o un corazón sobre la película. Oscurece la habitación y enciende una linterna en la abertura libre del rollo de papel higiénico. Así podrás proyectar la forma dibujada en la pared. Sostén a tu bebé en brazos y aléjate de la pared y vuelve hacia ella para que la imagen de la sombra cambie de tamaño.

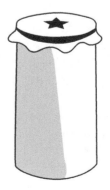

**¿A partir de qué edad?**
Desde los 4 meses

**Tiempo necesario:** 15 Minutos

**Preparación:** fácil

**¿En qué favorece?** Visión, atención, concentración

**Materiales:** Película transparente, rollo de papel higiénico vacío, goma elástica o liga, lápiz, linterna

# LENGUAJE Y AUDICIÓN

**¿A partir de qué edad?**
Desde los 3 meses

**Tiempo necesario:**
5 Minutos

**Preparación:** fácil

**¿En qué favorece?** Concentración, percepción de sonidos

**Materiales:** Pelota puzzle

## PELOTA PUZZLE EN EL ARCO DE JUEGO

Cuelga la pelota puzzle en el arco de juego para que tu hijo pueda tocarla pero no agarrarla con firmeza. El pequeño cascabel de la pelota animará al niño a patearla con las piernas o a golpearla con las manos.

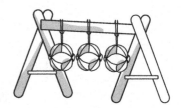

## BOLSA PARA HORNEAR

A los bebés les encanta todo lo que cruje, y una bolsa para hornear puede hacerlo especialmente bien. Corta una parte de ella y coloca dentro algo interesante, por ejemplo, pequeños pompones de colores. Ata la bolsa por los dos extremos como si fuera un dulce navideño para que no salga nada. A tu hijo le encantará sentir el envoltorio, disfrutar del sonido crepitante y explorar su contenido. Nunca dejes a tu hijo sin supervisión, ya que existe riesgo de asfixia con cualquier tipo de bolsa que pueda llevarse a la cara.

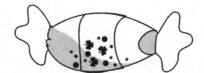

**¿A partir de qué edad?**
Desde los 3 meses

**Tiempo necesario:** 15 Minutos

**Preparación:** fácil

**¿En qué favorece?**
Autoeficacia, tacto, oído

**Materiales:** Bolsa para hornear, pompones

# GUANTE CON CASCABELES

**¿A partir de qué edad?**
Desde los 3 meses

**Tiempo necesario:** 15 minutos

**Preparación:** media

**¿En qué favorece?**
Seguir objetos en movimiento con los ojos

**Materiales:** Guantes, cascabeles

Cose cascabeles en las puntas de los dedos de los guantes blancos o negros. Cántale a tu hijo o haz pequeños juegos de rimas y apóyalos con los cascabeles.

# SONAJEROS VARIADOS

Tú mismo puedes hacer fácilmente los sonajeros para tu hijo. Tanto las latas opacas como las transparentes son adecuadas para ello. Por ejemplo, puedes utilizar pequeños contenedores o pegar el bote de pastillas de las vitaminas con cartulina blanca y negra y convertirlo en un sonajero monocromo. También son adecuados para este fin los pequeños recipientes que en su día contenían leche materna o extraída en el hospital de maternidad, por ejemplo. Puedes utilizar arroz, perlas pequeñas o grandes, o arena para el contenido. Puedes sellar las latas con pegamento caliente para que tu hijo no pueda abrirlas accidentalmente.

**¿A partir de qué edad?**
Desde los 3 meses

**Tiempo necesario:** 20 Minutos

**Preparación:** fácil

**¿En qué favorece?**
Audición, movimiento, músculos

**Materiales:** Latas, cartulina, arroz, arena, perlas, pegamento caliente

**¿A partir de qué edad?**
Desde los 3 meses

**Tiempo necesario:**
5 Minutos

**Preparación:** fácil

**¿En qué favorece?** Audición, movimiento

**Materiales:** Bandeja para hornear

# PATEAR UNA BANDEJA PARA HORNEAR

Acuesta a tu hijo en el suelo boca arriba y colócale una bandeja para hornear sobre los pies. En cuanto tu hijo dé una patada a la bandeja para hornear con los pies, escuchará el sonido amortiguado y pronto comenzará a dar patadas con entusiasmo.

# XILÓFONO

El xilófono es adecuado cuando el niño puede tumbarse boca abajo, mantener la cabeza erguida durante mucho tiempo y agarrarlo con seguridad. Tu hijo disfrutará con los distintos sonidos del instrumento y percibirá la causa y el efecto de sus golpes. Los niños mayores también disfrutan con un xilófono, así que es una inversión que merece la pena.

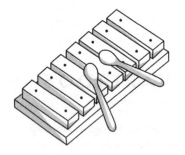

**¿A partir de qué edad?**
Desde los 5 meses

**¿En qué favorece?**
Audición, autoeficacia

# TACTO

## TAPETES DE JUEGO ACUÁTICOS

Los tapetes para jugar con agua son fascinantes para los bebés. Puedes hacerlos tú mismo y variarlos una y otra vez. La base es una bolsa de congelación con cremallera. Llénala de agua (un chorrito de aceite de bebé también aporta interesantes propiedades de fluidez). Luego puedes llenar la bolsa con lo que quieras: purpurina, cuentas, colorante comestible, pequeñas estrellas decorativas, etc. No hay límites para tu imaginación. Eso sí, estos objetos no deben tener bordes afilados, para que no dañen la bolsa y se escape el contenido. Puedes fijar el tapete de juegos al suelo con cinta adhesiva para evitar que resbale y colocar a tu hijo en posición decúbito prono frente a ella.

Una actividad similar puede realizarse con las llamadas botellas sensoriales. Encontrarás una descripción detallada en el capítulo con ideas de juego para niños a partir de 6 meses.

**¿A partir de qué edad?**
Desde los 3 meses

**Tiempo necesario:** 20 Minutos

**Preparación:** media

**¿En qué favorece?**
Concentración, músculos del torso

**Materiales:** Bolsa o botella de plástico para congelar, agua, aceite para bebés, purpurina, cuentas, colorante comestible

**¿A partir de qué edad?**
Desde los 3 meses

**Tiempo necesario:** 10 Minutos

**Preparación:** fácil

**¿En qué favorece?**
Percepción sensorial con los pies

**Materiales:** Bandeja, agua, lentejas, arena

## BANDEJA SENSORIAL PARA LOS PIES

Los bebés no solo exploran el mundo con las manos, sino también con los pies. Llena una bandeja poco profunda con materiales que tengan una textura interesante y sostén a tu bebé de modo que sus pies queden dentro de la bandeja. Para ello puedes utilizar agua tibia, lentejas, arena e incluso espaguetis cocidos tibios.

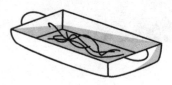

# BOLSA DE SENSACIONES

Puedes coser distintas bolsas de sensaciones para tu hijo. Rellénalas con huesos de cereza, lentejas, cereales como la espelta o arroz. No llenes demasiado las bolsas para que no lleguen a romperse incluso si las palpa con entusiasmo. Es mejor coser dos veces los bordes para que no se salga nada. Tu hijo disfrutará de estas bolsitas durante mucho tiempo. Más adelante, también son ideales para lanzarlas y gatear hacia ellas.

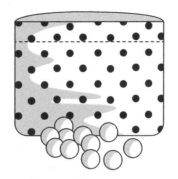

**¿A partir de qué edad?**
Desde los 4 meses

**Tiempo necesario:** 30 Minutos

**Preparación:** media

**¿En qué favorece?**
Tacto

**Materiales:** Bolsa pequeña, huesos de cereza, lentejas, arroz o similares

# BANDEJA DE JUEGOS ACUÁTICOS

**¿A partir de qué edad?**
Desde los 4 meses

**Tiempo necesario:**
5 Minutos

**Preparación:** fácil

**¿En qué favorece?**
Músculos del torso y de los dedos

**Materiales:** Bandeja, agua, esponja de ducha, anillos

Los juegos con agua son populares incluso entre los niños más pequeños. Coloca a tu hijo boca abajo frente a una bandeja para hornear o una tina poco profunda llena con 2,5 cm de agua. Puedes poner una esponja de ducha, pequeñas esponjas de pintura de manualidades o aros. No hay límites para tu imaginación. No pierdas nunca de vista a tu hijo durante esta actividad. Como con todos los juegos de agua, es necesario tener especial cuidado.

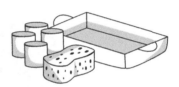

TACTO

# PLÁSTICO DE BURBUJAS

A los niños pequeños y mayores les encanta el plástico de burbujas. Si tienes láminas de Lego de colores en casa, puedes cortar el plástico de burbujas de modo que su borde sea unos 10 cm más largo que una de estas láminas de Lego y utilizarla como base de color. Pega ambos al suelo con cinta adhesiva y deja que tu hijo sienta la superficie llena de burbujas. Si no tienes láminas de Lego, puedes pintar un trozo de cartón y colocarlo debajo del plástico de burbujas.

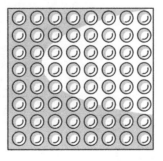

**¿A partir de qué edad?**
Desde los 5 meses

**Tiempo necesario:** 15 Minutos

**Preparación:** fácil

**¿En qué favorece?**
Habilidades motrices finas

**Materiales:** Plástico de burbujas, láminas de Lego o cartón, cinta adhesiva

# DE 6 A 9 MESES

~

**Desarrollo motriz:** La motricidad de tu bebé se desarrolla rápidamente y cada vez es más móvil. Aprende a sentarse solo y comienza a rodar, a gatear sobre su barriga y a gatear a cuatro patas. Algunos niños ya pueden ponerse de pie solos a los nueve meses. Puedes ayudar a tu hijo en estos importantes pasos de su desarrollo ofreciéndole actividades lúdicas que motiven su movimiento.

Tu bebé puede agarrar objetos con ambas manos y transferirlos con seguridad de una mano a otra. Ahora explora lentamente los objetos con las manos en lugar de hacerlo primero con la boca. Tu hijo disfrutará explorando la gravedad y dejando caer objetos repetidamente. Ofrécele juguetes con texturas interesantes y pelotas para que las lance.

El desarrollo pictórico de los niños puede dividirse en siete fases. La primera de ellas es la pintura con los dedos. El niño manipula sustancias pastosas o líquidas como agua, arena, barro o nieve y "pinta" con ellas a través de sus movimientos. El niño repite este proceso por la diversión del movimiento y para crear aún más trazos. El resultado de este proceso de pintura es irrelevante; lo que importa es el proceso en sí. Puedes fomentar esta fase ofreciendo a tu hijo texturas adecuadas con las que pueda pintar.

**Desarrollo sensorial:** El campo de visión de tu hijo se expande continuamente y ahora puede ver con nitidez cosas que están fuera de su alcance. Muestra cada vez más interés por lo que le rodea. Ya no explora los objetos exclusivamente con la boca y las manos, sino también con los ojos.

**Desarrollo del lenguaje:** Tu hijo comienza a balbucear y a formar sus primeras cadenas silábicas. Algunos niños ya dicen su primera palabra durante este periodo. Los niños desarrollan un vocabulario pasivo más amplio durante esta época. Se recomienda que le leas a tu hijo con regularidad. Así ampliará continuamente su vocabulario.

**Desarrollo cognitivo y relacional:** Durante este periodo, tu hijo comienza a comunicarse y a jugar claramente contigo utilizando sonidos y expresiones faciales. Reconoce que ocupa un lugar permanente en la familia.

En el aspecto cognitivo, tu hijo da un gran salto en su desarrollo. Ahora entiende que las personas y los objetos que están fuera de su percepción continúan existiendo. Ahora entiende que una persona que sale de la habitación regresará pronto. Esto se llama permanencia del objeto. Puedes fomentar esta comprensión en tu bebé mediante juegos en los que los juguetes parecen desaparecer y reaparecer en cajones u otros lugares que exploren.

# COORDINACIÓN MANO-OJO

## ARRANCAR POMPONES DE UN RODILLO DE PELUSA

Este ejercicio puede realizarse en posición decúbito prono y más tarde sentado libremente. Basta con pegar unos pompones de colores en un rodillo para pelusas y darle el objeto al niño. Muéstrale cómo se arranca un pompón del rodillo con un movimiento lento. Tu bebé también arrancará los pompones.

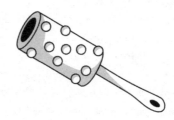

**¿A partir de qué edad?**
Desde los 6 meses

**Tiempo necesario:**
5 Minutos

**Preparación:** fácil

**¿En qué favorece?**
Coordinación mano-ojo, músculos de los dedos, agarre de pinza

**Materiales:** Pompones, rodillo de pelusa

**¿A partir de qué edad?**
Desde los 6 meses

**Tiempo necesario:** 10 Minutos

**Preparación:** fácil

**¿En qué favorece?**
Motricidad fina, músculos de los brazos

**Materiales:** Alambre flexible para manualidades, colador de pasta

## ALAMBRE FLEXIBLE EN UN COLADOR DE PASTA

Pon el alambre flexible en un colador de pasta y deja que tu hijo tire de él para sacarlo. Este ejercicio se realiza mejor cuando tu hijo ha desarrollado la capacidad de sentarse sin apoyo. Aun así, también es posible hacerlo en la posición decúbito prono.

# ARRANCAR NOTAS POST-IT

Pega notas Post-it de colores o similares en el cristal de una ventana o en un espejo y deja que tu hijo las despegue. El juego vertical supone un verdadero cambio en la vida cotidiana.

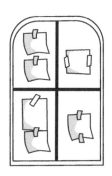

**¿A partir de qué edad?**
Desde los 7 meses

**Tiempo necesario:**
5 Minutos

**Preparación:** fácil

**¿En qué favorece?**
Motricidad fina, músculos de brazos y hombros

**Materiales:** Notas Post-it o adhesivas similares, espejo

# LA PRIMERA TORRE APILABLE

Ya puedes ofrecer a tu hijo su primera torre apilable. Los aros grandes son ideales para esto, ya que su gran diámetro los hace especialmente fáciles de poner y quitar. También puedes utilizar un aro y un portarrollos de cocina. Al principio, ofrécele solo un aro y ve aumentando el número con el tiempo. Lo más probable es que en los primeros intentos el niño saque el aro y se lo lleve directamente a la boca.

**¿A partir de qué edad?**
Desde los 7 meses

**¿En qué favorece?**
Motricidad fina

# LANZAR TAPAS DE FRASCOS EN LA ABERTURA DE UNA CAJA

Cubre una caja de cartón o de pañuelos de papel con papel de colores. Haz un corte ancho en la parte superior. Ofrece a tu hijo esta caja junto con una cesta con tapas de frascos. Demuéstrale el ejercicio lentamente e introduce una tapa por la abertura.

**¿A partir de qué edad?**
Desde los 8 meses

**Tiempo necesario:** 20 Minutos

**Preparación:** media

**¿En qué favorece?**
Habilidades motrices finas

**Materiales:** Cartón, papel de colores, tijeras, cesta con tapas de frascos

# CAJA PARA LANZAR PELOTAS

**¿A partir de qué edad?**
Desde los 8 meses

**Tiempo necesario:** 20 Minutos

**Preparación:** media

**¿En qué favorece?**
Motricidad fina

**Materiales:** Dos cajas de zapatos, tijeras, pistola de pegamento caliente, cesta

Haz un agujero circular en el fondo de una caja de zapatos vieja. Toma la tapa de una caja de cartón más grande y pega la caja de zapatos a la parte interior de la tapa con una pistola de pegamento caliente de modo que el agujero quede en la parte superior. Ahora tu hijo puede lanzar pelotas a la parte superior de la caja (ofrécelas en una cesta aparte), y rodarán por la "pista" que has hecho con la tapa grande sin alejarse demasiado.

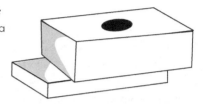

# EL ROMPECABEZAS DEL HUEVO

Un huevo de madera con una huevera de madera es un magnífico primer rompecabezas para tu hijo. A tu hijo le gustará meter y sacar el huevo. Esto crea una conexión directa con el entorno del niño.

**¿A partir de qué edad?**
Desde los 8 meses

**¿En qué favorece?**
Motricidad fina

# FORMAS Y COLORES

## JUEGOS DE SOMBRAS

**¿A partir de qué edad?**
Desde los 6 meses

**¿En qué favorece?**
Atención, concentración, seguimiento de objetos en movimiento con los ojos

Ya hemos hablado de un juego de sombras muy sencillo para bebés pequeños. Cuando tu bebé tenga medio año, su capacidad de concentración mejorará y podrás jugar con él a juegos normales de sombras. Oscurece la habitación y pon una fuente de luz; puedes proyectar sombras contra la pared utilizando las manos. También puedes darle una linterna y dejar que juegue con ella.

## CESTA DE DESCUBRIMIENTOS PARA VARIOS COLORES

Prepara una cesta de descubrimientos con objetos de los mismos colores. Por ejemplo, puedes poner una tela amarilla, un patito de goma y un limón en una cesta para el color amarillo.

**¿A partir de qué edad?**
Desde los 6 meses

**Tiempo necesario:** 10 Minutos

**Preparación:** fácil

**¿En qué favorece?**
Percepción del color

**Materiales:** Cesta de descubrimientos, patito de goma, limón, tela

# BOTELLAS SENSORIALES

**¿A partir de qué edad?**
Desde los 6 meses

**Tiempo necesario:** 15 Minutos

**Preparación:** fácil

**¿En qué favorece?**
Percepción, concentración

**Materiales:** Botella de plástico, agua, aceite de bebé, purpurina

Este ejercicio está relacionado con los tapetes acuáticos del capítulo anterior. Llena una pequeña botella de plástico transparente con aproximadamente dos tercios de agua. Una pizca de aceite para bebés aporta interesantes propiedades de fluidez. Ahora puedes llenar la botella sensorial con objetos de manualidades variados: pompones, purpurina, piedrecitas decorativas, etc.

# CONSTRUIR UNA TORRE CON E ...ES DE CONSTRUCCIÓN

Construye una torre de bloques de colores con tu hijo. Apila los bloques uno encima de otro mientras nombras sus colores. Lo más probable es que a tu hijo aún le resulte demasiado difícil participar. Pero después disfrutará derribando la torre.

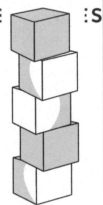

**¿A partir de qué edad?**
Desde los 8 meses

**¿En qué favorece?**
Percepción del color

# CAJA CON AGUJEROS

**¿A partir de qué edad?**
Desde los 8 meses

**Tiempo necesario:** 15 Minutos

**Preparación:** fácil

**¿En qué favorece?**
Percepción de distintas alturas

**Materiales:** Caja de zapatos, tijeras, pelotas de distintos tamaños

Haz agujeros de distintos tamaños en una caja de zapatos. Ofrece a tu hijo pelotas de distintos tamaños para que las introduzca en los agujeros. Tu hijo se dará cuenta de que algunos huecos son demasiado pequeños para algunas pelotas.

# LENGUAJE Y AUDICIÓN

## PALO DE LLUVIA

Un palo de lluvia imita los sonidos de la lluvia y procede de la cultura chilena. Tú mismo puedes fabricar un palo de lluvia con algunos materiales. Para ello, necesitas lo siguiente:

- Un tubo de patatas fritas apilables o un tubo de embalaje para envíos
- algunos clavos
- papel para hornear
- arroz o lentejas para rellenar
- 2 gomas elásticas o ligas
- cinta adhesiva
- material para decorar y pegar

Clava los clavos en el tubo formando una espiral. Recorta dos trozos de papel para hornear. Coloca un trozo de papel sobre una de las dos aberturas y sujétalo con una goma elástica o liga. Ahora llena el tubo aproximadamente hasta una cuarta parte con el arroz o las lentejas. Cierra la segunda abertura con la otra hoja de papel para hornear y coloca la segunda goma elástica o liga. Ahora, también puedes envolver el tubo con cinta adhesiva, para que no haya riesgo de lastimarse las uñas. Por último, puedes decorar el tubo con papel de regalos, purpurina, etc., según tus preferencias. Da la vuelta al palo de lluvia para mostrarle a tu hijo que se producen sonidos al girarlo.

**¿A partir de qué edad?**
Desde los 6 meses

**Tiempo necesario:** 1 Hora

**Preparación:** difícil

**¿En qué favorece?**
Audición, motricidad gruesa

**Materiales:** Tubo, clavos, papel para hornear, arroz, gomas elásticas o ligas, cinta adhesiva, material para decorar

# GOLPEAR TAPAS DE OLLAS

**¿A partir de qué edad?**
Desde los 6 meses

**Tiempo necesario:**
5 Minutos

**Preparación:** fácil

**¿En qué favorece?**
Audición, motricidad gruesa, autoeficacia

**Materiales:** Cuchara de madera, varias tapas de olla

Coloca o sienta a tu hijo delante de unas cuantas tapas de olla y pon una cuchara de madera junto a ellas. Puedes demostrarle cómo golpearlas con la cuchara. A tu hijo le resultará muy interesante hacer estos sonidos de forma independiente.

# INSTRUMENTOS MUSICALES

Puedes ofrecer a tu hijo sus primeros instrumentos musicales a partir de los 6 meses, por ejemplo, un tambor pequeño, dos timbales y una campana. Al principio, dale únicamente un instrumento musical a la vez para no abrumarlo. Se ocupará bastante descubriendo la forma y el sonido del instrumento. Puedes cantarle una canción y acompañarlo durante el juego.

**¿A partir de qué edad?**
Desde los 6 meses

**¿En qué favorece?**
Educación musical temprana, audición, autoeficacia

# CAJA MUSICAL

**¿A partir de qué edad?**
Desde los 6 meses

**¿En qué favorece?**
Motricidad fina, autoeficacia

Es posible que ya tuvieras una caja musical durante el embarazo y que se la pusieras regularmente a tu hijo, o que la caja musical forme parte del ritual de tu hijo a la hora de dormir. Dale la caja musical y demuéstrale cómo darle cuerda. Cuando consiga hacerlo, lo repetirá con gusto. Por supuesto, también explorará ampliamente con la boca el muñeco de peluche y la manivela de la caja musical.

# CONTENEDOR DE AUDICIÓN

A esta edad, tu hijo se interesa cada vez más por los distintos sonidos. Puedes llenar contenedores opacos y fáciles de agarrar (por ejemplo, pequeños recipientes de rollos de película fotográfica) con distintos materiales, como arena, arroz, lentejas, una sola cuenta de madera, un botón o un cascabel pequeño. Puedes pegar la tapa con una pistola de pegamento caliente. Ofrece a tu hijo varios de estos recipientes a la vez para que vaya descubriendo los distintos sonidos uno tras otro.

**¿A partir de qué edad?**
Desde los 6 meses

**Tiempo necesario:** 20 Minutos

**Preparación:** media

**¿En qué favorece?**
Audición

**Materiales:** Latas, arroz, lentejas o similares, pistola de pegamento caliente

**¿A partir de qué edad?**
Desde los 6 meses

**Tiempo necesario:** 15 Minutos

**Preparación:** fácil

**¿En qué favorece?**
Vocabulario

**Materiales:** Tarjetas de animales plastificadas

# TARJETAS CON ANIMALES

Puedes mostrar a tu hijo tarjetas de distintos animales. Lo ideal sería que las tarjetas estuvieran previamente plastificadas. Nombra el animal e imita el sonido que hace. También puedes nombrar algunos detalles sobre el animal. Por ejemplo: "Este es un perro. Hace '¡guau, guau!' Este perro es grande y tiene el pelo marrón". Evita el lenguaje infantil y frases como: "Este es un perrito guau-guau".

# TACTO

6 - 9 MESES

## DIBUJAR CON YOGUR

Debido a que los niños de esta edad aún se encuentran en plena fase oral, es una buena idea utilizar algún material comestible para su primera actividad de pintura a mano. El yogur es especialmente adecuado y se le puede dar color con colorante comestible. Sienta a tu hijo en su silla alta, trona o periquera (sentarse libremente es un requisito indispensable para esto) y utiliza una cuchara para colocar cantidades de yogur de distintos colores en varios puntos de la mesa o de la bandeja de la trona. Tu hijo no necesita que le demuestres lo que tiene que hacer; él mismo meterá la mano en el yogur y comenzará el proceso artístico.

**¿A partir de qué edad?**
Desde los 6 meses

**Tiempo necesario:**
5 Minutos

**Preparación:** fácil

**¿En qué favorece?** Habilidades de dibujo

**Materiales:** Yogur, colorante comestible, cuchara

**¿A partir de qué edad?**
Desde los 6 meses

**¿En qué favorece?**
Sentido del tacto

**Materiales:** Rizadores de pelo, cesta

## RIZADORES DE PELO

Si tú o algún familiar tienen rizadores de pelo en casa, puedes ofrecerlos a tu hijo en una pequeña cesta para que los explore. Es probable que tu hijo tenga menos contacto con los objetos puntiagudos y los encuentre particularmente interesantes.

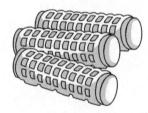

# ARO HULA-HULA CON MATERIALES SENSORIALES

Fija distintos objetos que ofrezcan un tacto interesante a un aro Hula-hula grande. Puedes utilizar ropa, algunos eslabones de una cadena para cochecito o carriola, atar un cepillo de bebé a una cuerda, etc.

**¿A partir de qué edad?** Desde los 6 meses

**Tiempo necesario:**15 Minutos

**Preparación:** media

**¿En qué favorece?** Locomoción (dar vueltas), sentido del tacto

**Materiales:** Aro Hula-hula, telas o similares

## CUBO SENSORIAL

Los cubos sensoriales son adecuados para niños que ya pueden sentarse de forma independiente y jugar en posición decúbito prono. Compra un cubo de madera con una longitud de arista de unos 6 cm en la ferretería. Luego puedes pegar materiales distintos en cada una de las caras. Puedes utilizar distintas telas (mezclilla de jeans o vaqueros, algodón, terciopelo), pero también un trozo de esterilla de bambú, lámina reflectante, etc. Tu hijo podrá girar muy bien este cubo en sus manos y recogerlo directamente si se cae, ya que no rueda muy lejos. Un cubo sensorial también es muy adecuado para viajar, como juguete en los viajes en automóvil.

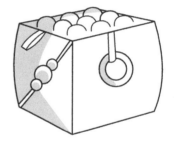

**¿A partir de qué edad?** Desde los 6 meses

**Tiempo necesario:** 30 Minutos

**Preparación:** media

**¿En qué favorece?** Sensaciones

**Materiales:** Cubo de madera, textiles diversos, pegamento

# PELOTAS SENSORIALES

Las pelotas sensoriales están hechas de material sintético y tienen distintas texturas. Esto hace que sean fáciles de agarrar para tu hijo y, al mismo tiempo, ofrecen una textura interesante. Las pelotas proporcionan una gran alegría a los niños que ya se mueven, ya que pueden gatear tras ellas.

**¿A partir de qué edad?** Desde los 6 meses

**¿En qué favorece?** Sentido del tacto, movimiento, lanzamiento

# CESTA DE DESCUBRIMIENTOS CON MATERIALES SENSORIALES

**¿A partir de qué edad?**
Desde los 6 meses

**Tiempo necesario:**
5 Minutos

**Preparación:** fácil

**¿En qué favorece?**
Tu hijo aprende sobre distintas sensaciones táctiles y amplía su vocabulario.

**Materiales:** Cesta, cepillo para bebés u otros objetos

Las cestas de descubrimientos descritas anteriormente también pueden llenarse con materiales sensoriales. Por ejemplo, son adecuados un cepillo para bebés, un peine, varias esponjas o incluso una cuchara para miel.

# MURO SENSORIAL

¡Piensa en grande! De forma similar al cubo sensorial, que también es adecuado para viajar, también puedes crear todo un muro sensorial para tu hijo. La ventaja de esto es que ofrece espacio para muchos materiales distintos y anima a tu hijo a jugar verticalmente.

Para crear un muro sensorial, necesitas varios trozos de cajas de cartón. Córtalas del mismo tamaño y pégalas por detrás con suficiente cinta adhesiva. Después puedes montar el muro sensorial. Puedes utilizar cualquier cosa que encuentres en casa. Los siguientes objetos son adecuados:

- telas diversas
- lámina reflectante
- pompones grandes pegados muy juntos
- plástico de burbujas
- una alfombra o tapete de hierba
- espaguetis secos pegados muy juntos
- un trozo de corcho
- lentejas secas pegadas muy juntas como una alfombra

Pega los objetos individuales en su sitio con una pistola de pegamento caliente y monta el muro sensorial. Tu hijo se interesará por él y lo explorará detenidamente.

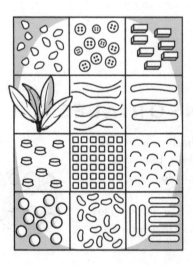

**¿A partir de qué edad?**
Desde los 6 meses

**Tiempo necesario:** 1 Hora

**Preparación:** media

**¿En qué favorece?**
Sentido del tacto, músculos de los brazos

**Materiales:** Caja de cartón, tijeras, cinta adhesiva, pistola de pegamento caliente

TACTO

# FORMACIÓN DEL PENSAMIENTO

## CUCÚ-TRAS O JUEGO DEL ESCONDITE

**¿A partir de qué edad?**
Desde los 6 meses

**¿En qué favorece?**
Permanencia de objetos

**Materiales:** Telas o paños

Esconde tu cara detrás de una tela y deja que tu hijo tire de ella hacia abajo. Si al niño le da miedo hacer esto, puedes comenzar utilizando telas semitransparentes. También puedes ponerle una tela ligera sobre su cabeza. Sin embargo, si el niño no puede quitársela inmediatamente, debes ayudarlo para que no tenga miedo.

## SACAR PRENDAS DE UNA PELOTA O-BALL

Pasa las prendas a través de una O-ball. Muestra a tu hijo cómo sacar las prendas y, a continuación, entrégale la pelota. También puedes utilizar los calcetines de tu hijo en lugar de ropa. Complica un poco el ejercicio enredando ligeramente las prendas. Tu hijo podrá sacarlas con facilidad, pero adquirirá un sentido de causa y efecto.

**¿A partir de qué edad?**
Desde los 6 meses

**Tiempo necesario:**
5 Minutos

**Preparación:** fácil

**¿En qué favorece?** Motricidad fina, planificación de acciones

**Materiales:** Ropa o calcetines, pelota O-ball

# CAJA DE TRACCIÓN

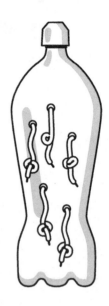

Limpia bien una botella opaca (por ejemplo, de bebida o detergente). Hazle un número par de agujeros con un destornillador. Luego, introduce un cordón de zapato en la botella por un agujero y sácalo por otro. Haz un nudo en ambos extremos para que el cordón no pueda salirse completamente de la botella. Repite esta operación hasta que el cordón haya pasado por todos los agujeros de la botella.

Da la botella a tu hijo y haz una demostración tirando del cordón. Con el tiempo, tu hijo imitará esta acción y se dará cuenta de que, si tira de un lado, el cordón se introducirá por el otro.

**¿A partir de qué edad?**
Desde los 6 meses

**Tiempo necesario:** 15 Minutos

**Preparación:** fácil

**¿En qué favorece?** Sentido de causa y efecto

**Materiales:** Botella opaca, destornillador, cordones de zapatos

# RESCATAR PATOS DE GOMA

Toma una bandeja para hornear con el borde alto y cúbrela transversalmente con gomas elásticas o ligas. Coloca patos de goma (o pelotas) en el fondo del recipiente y pide a tu hijo que los libere de la bandeja.

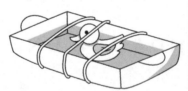

**¿A partir de qué edad?**
Desde los 6 meses

**Tiempo necesario:** 10 Minutos

**Preparación:** fácil

**¿En qué favorece?** Planificación de acciones, motricidad fina

**Materiales:** bandeja para hornear, gomas elásticas o ligas, patitos de goma

**¿A partir de qué edad?**
Desde los 6 meses

**¿En qué favorece?**
Desarrollo del lenguaje

# LIBROS

Incluso para niños muy pequeños, existen libros atractivos con dibujos grandes y sencillos y rimas. Algunos son de cartón; otros son libros táctiles.

FORMACIÓN DEL PENSAMIENTO

# DE 9 A 12 MESES

**Desarrollo motriz:** Tu hijo ya puede sentarse, subirse a los muebles o incluso ponerse de pie sin ayuda. Tu hijo puede dar algunos pasos sosteniéndose de los muebles o de tu mano. Muchos niños dan sus primeros pasos libres durante este periodo.

En estos meses, tu hijo entrenará el agarre de pinza, es decir, agarrar objetos pequeños con los dedos pulgar e índice. Las actividades lúdicas con objetos pequeños también pueden animar a tu hijo a realizar este movimiento de la mano.

**Desarrollo sensorial:** Tu hijo ya puede identificar objetos aunque solo sean parcialmente visibles y sabe orientarse perfectamente en su entorno. Tu bebé gira su cabeza y dirige su atención hacia los sonidos para explorar su procedencia.

**Desarrollo del lenguaje:** Tu hijo comienza a pronunciar sus primeras palabras y comprende frases e instrucciones sencillas. Señalando, te incita a nombrar cosas o llama tu atención sobre situaciones especialmente interesantes. Puedes ampliar el vocabulario de tu hijo leyéndole en voz alta y ofreciéndole juegos específicos.

**Desarrollo cognitivo y relacional:** Tu hijo ha desarrollado plenamente el sentido de permanencia de los objetos y sabe que las cosas que no son visibles siguen existiendo. Ha aprendido que los objetos tienen un centro de gravedad y que una torre puede caerse. Puedes apoyar el accionar de tu hijo planificando actividades lúdicas adecuadas.

Tu hijo expresa su estado emocional a través de su voz. El carácter de tu hijo se hace cada vez más evidente. Puedes fomentar la autonomía de tu hijo involucrándolo en las tareas cotidianas. Parte de esto ya puede hacerse con niños que gatean. Tan pronto como tu hijo pueda andar libremente, tendrá muchas más oportunidades de participar activamente en la vida cotidiana.

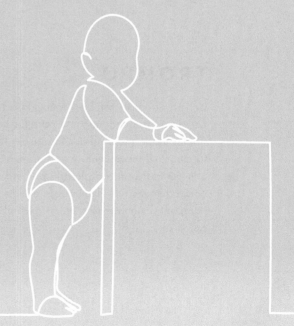

# COORDINACIÓN MANO-OJO

## BURBUJAS DE JABÓN

A los bebés les encanta soplar burbujas de jabón. Sienta a tu hijo en una manta al aire libre y sopla burbujas en su dirección. Tu hijo observará cómo estallan las burbujas en sus piernas y brazos y luego intentará tocarlas.

**¿A partir de qué edad?**
Desde los 9 meses

**¿En qué favorece?**
Motricidad fina

**¿A partir de qué edad?**
Desde los 9 meses

**Tiempo necesario:**
5 Minutos

**Preparación:** fácil

**¿En qué favorece?**
Motricidad fina

**Materiales:** Rollo de papel higiénico, gomas elásticas o ligas domésticas

## GOMAS ELÁSTICAS CASERAS EN ROLLOS DE PAPEL HIGIÉNICO

Toma un rollo de papel higiénico vacío y estira en él gomas elásticas o ligas de uso doméstico. Demuestra a tu hijo cómo se quita una goma elástica del rollo y después dale el rollo para que repita el ejercicio.

## TROMPO

Un gran trompo, también conocido como peonza, es un estupendo juguete para los bebés. En primer lugar, puedes hacerlo girar. A tu hijo le fascinará el movimiento y gateará tras el trompo o lo detendrá para explorarlo primero con la boca. Demuéstrale de nuevo la acción. Con el tiempo, tu hijo intentará hacer girar el trompo por sí solo.

**¿A partir de qué edad?**
Desde los 9 meses

**¿En qué favorece?**
Motricidad fina, movimiento

## APILAR VASOS DE PAPEL

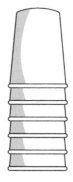

**¿A partir de qué edad?**
Desde los 9 meses

**Tiempo necesario:**
5 Minutos

**Preparación:** fácil

**¿En qué favorece?**
Motricidad fina

**Materiales:** Vasos de papel

Coloca de tres a cinco vasos de papel delante de tu hijo y muéstrale cómo introduces un vaso dentro de otro. A continuación, tu hijo intentará imitar este ejercicio e introducir repetidamente los vasos uno dentro de otro y volver a separarlos.

## JUGUETES ENVUELTOS

Envuelve un juguete nuevo o que lleve tiempo sin utilizarse en papel de aluminio y deja que tu hijo lo desenvuelva. Una alternativa más ecológica es utilizar papel para regalos o papel para hornear. Sin embargo, el papel de aluminio envuelve mejor el juguete, lo que hace que el ejercicio sea mucho más difícil. Si te sobra, puedes utilizarlo para esto. No dejes a tu hijo sin supervisión; de lo contrario, existe riesgo de asfixia.

**¿A partir de qué edad?**
Desde los 9 meses

**Tiempo necesario:** 10 Minutos

**Preparación:** fácil

**¿En qué favorece?**
Motricidad fina

**Materiales:** Juguetes, papel de aluminio

## ORDENAR CASTAÑAS

**¿A partir de qué edad?**
Desde los 9 meses

**Tiempo necesario:** 15 Minutos

**Preparación:** fácil

**¿En qué favorece?**
Motricidad fina

**Materiales:** Castañas, cesta, cartón de huevos vacío

Este ejercicio aportará un ambiente otoñal a tu sala de estar. Recoge castañas en un paseo con tu hijo y pon unas cuantas en una cesta en casa. Ofrece a tu hijo un cartón de huevos vacío y coloca lentamente una castaña de la cesta en el cartón. Tu hijo imitará este movimiento. Permanece con tu hijo en todo momento. Si se mete una castaña en la boca, corre el riesgo de atragantarse.

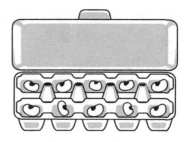

# ARRANCAR AROS

Si has comprado un triángulo Pikler para tu hijo, puedes ofrecérselo a partir de los 9 meses para entrenar su motricidad gruesa. Pero también puedes hacer otras cosas con él. Pega cinta adhesiva de doble cara en un trozo grande de cartón y fíjalo a uno de los lados del triángulo Pikler o, si no dispones de uno, a una ventana o puerta que vaya del suelo al techo. Pega algunos aros a la cinta. Puedes utilizar los aros de un juego de apilar o los eslabones de una cadena para cochecito o carriola. Muéstrale a tu hijo cómo arrancar un aro de la cinta y deja que vaya quitando los demás aros. Este ejercicio de juego vertical no solo entrena la motricidad fina de tu hijo, sino también los músculos de los brazos.

**¿A partir de qué edad?**
Desde los 9 meses

**Tiempo necesario:**
5 Minutos

**Preparación:** fácil

**¿En qué favorece?**
Motricidad fina, músculos de brazos y hombros

**Materiales:** Triángulo Pikler, cartón, cinta adhesiva, anillas

# FORMAS Y COLORES

## UN PRIMER PUZZLE O ROMPECABEZAS

A partir de los 10 meses, puedes empezar a ofrecerle puzzles o rompecabezas. Los más adecuados son los de una sola pieza. Los encontrarás en las típicas tiendas Montessori, donde se suelen encontrar las tres formas básicas: círculo, cuadrado y triángulo. Al principio, tu hijo explorará la pieza del rompecabezas principalmente con la boca, pero con el tiempo intentará sacarla del marco e insertarla de nuevo.

¿A partir de qué edad?
Desde los 9 meses

¿En qué favorece?
Motricidad fina, interacción con las formas

## CONOCER LAS FORMAS

¿A partir de qué edad?
Desde los 9 meses

Tiempo necesario: 10 Minutos

Preparación: fácil

¿En qué favorece?
Motricidad fina

Materiales: Caja de cartón, tijeras, pistola de pegamento caliente, tapa de bolsa exprimible o pasta cruda

Haz dos agujeros en el fondo de una caja de cartón. Los agujeros deben tener dos formas distintas; un círculo y un cuadrado son adecuados para comenzar. Recorta algunos círculos y cuadrados de otro trozo de cartón. El objetivo del ejercicio es que tu hijo los clasifique en el agujero apropiado. Para facilitarle el agarre, puedes crear un asa para las formas pegando la tapa de una bolsa exprimible o un fideo crudo con una pistola de pegamento caliente.

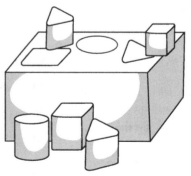

También son adecuadas las cajas de bloques de construcción con agujeros en la tapa para las formas individuales o las correspondientes cajas de inserción. Sin embargo, el gran número de formas distintas puede ser demasiado para tu hijo a esta edad, mientras que, con la solución hecha por ti mismo, puedes ir añadiendo más y más formas con el tiempo.

# GATEAR A TRAVÉS DE UN TÚNEL

**¿A partir de qué edad?**
Desde los 9 meses

**Tiempo necesario:**
5 Minutos

**Preparación:** fácil

**¿En qué favorece?**
Movimiento

**Materiales:** Túnel de juguete o triángulo Pikler, tal vez telas de colores

A la mayoría de los bebés les encanta gatear a través de túneles de juego coloridos. Debido a la naturaleza de las paredes, su entorno está bañado en luz de colores. Si no dispones de un túnel de juego, pero sí de un triángulo Pikler, puedes cubrirlo con ropa de colores.

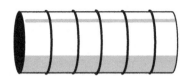

# BOTELLAS CON MATERIALES NATURALES

Sal a pasear con tu bebé y recoge objetos de la naturaleza. Pueden ser flores, musgo, hojas, piedras y hierba. Coloca los materiales naturales en botellas decoradas con alguna temática y séllalas con una pistola de pegamento caliente. Ofrece las botellas a tu hijo en una cesta de descubrimientos, por ejemplo. Así, tu hijo podrá observar los materiales naturales desde todas las direcciones y no te preocuparás de que se trague algo.

**¿A partir de qué edad?**
Desde los 9 meses

**Tiempo necesario:** 10 Minutos

**Preparación:** fácil

**¿En qué favorece?**
Interacción con materiales naturales

**Materiales:** Objetos de la naturaleza, botellas, pistola de pegamento caliente

**¿A partir de qué edad?**
A partir de 9 meses

**Tiempo necesario:**
5 Minutos

**Preparación:** fácil

**¿En qué favorece?**
Motricidad fina, vocabulario

**Materiales:** Pelotas sensoriales o de fieltro, cestas, bandeja para bollos

# COLOCAR PELOTAS EN UNA BANDEJA PARA BOLLOS

Ofrece a tu hijo pelotas sensoriales o pelotas de fieltro de distintos colores en una cesta junto a una bandeja para hornear bollos. Toma una pelota y deposítala en la bandeja para hornear bollos. Nombra el color de la pelota. A continuación, tu hijo intentará mover las otras pelotas. Una vez más, indícale de qué color es la pelota elegida.

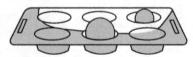

# LENGUAJE Y AUDICIÓN

## FOTOGRAFÍAS FAMILIARES PLASTIFICADAS

Imprime fotografías de familiares y amigos con los que tu hijo se relacione regularmente. Redondea las esquinas y da las fotografías a tu hijo. Nombra a la persona representada. De este modo, tu hijo aprenderá los nombres de las personas que ve habitualmente.

También puedes hacer un juego y pegar las fotografías en la pared. Pega una nota adhesiva sobre la cara de cada persona y deja que tu hijo las despegue. Tu hijo disfrutará viendo las caras conocidas y, al mismo tiempo, asimilará los nombres.

**¿A partir de qué edad?**
Desde los 9 meses

**Tiempo necesario:** 15 Minutos

**Preparación:** fácil

**¿En qué favorece?**
Vocabulario

**Materiales:** Fotografías de familiares, notas adhesivas post-it

## CARRERA DE CANICAS

Los bebés que pueden sentarse con seguridad disfrutan con los sonidos de una carrera de canicas. Los toboganes de canicas siguen siendo interesantes incluso cuando el niño es mayor porque sirven para hacer experimentos: ¿Cuál se desliza más rápido? ¿Cuál hace más ruido? ¿Qué ocurre cuando varias canicas caen al mismo tiempo? Las pistas de canicas son, por tanto, una inversión que merece la pena. Asegúrate de que las canicas no sean demasiado pequeñas, de lo contrario, existe riesgo de asfixia. Pero tampoco dejes a tu hijo solo con bolas más grandes. También hay pistas de canicas con cochecitos en lugar de canicas, que tienen menos probabilidades de ser tragadas.

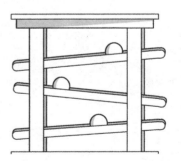

**¿A partir de qué edad?**
Desde los 9 meses

**¿En qué favorece?**
Motricidad fina, audición, autoeficacia

# CAJA SORPRESA

Cubre una caja de cartón con papel de regalo. Haz un agujero circular en la parte superior de unos 8 cm de diámetro, para que tu hijo pueda meter cómodamente la mano y el antebrazo. Disimula este agujero con algunos trozos de papel cortando dos hojas de papel de unos 10x8 cm y cortando cada una de ellas a la mitad en tiras de 2 cm de ancho. Luego pega las tiras alrededor del agujero para crear una cortina en forma de abanico que cubra el agujero. Puedes poner una fruta o una verdura en la caja, preferiblemente de las que soportan un trato un poco brusco, por ejemplo, una manzana.

**¿A partir de qué edad?**
Desde los 9 meses

**Tiempo necesario:** 20
Minutos

**Preparación:** media

**¿En qué favorece?**
Vocabulario

**Materiales:** Cartón,
papel de regalo, tijeras,
papel, pegamento, fruta

Ahora, mete la mano dentro de la caja y haz como si buscaras algo, pero no lo encuentres. Agita la caja para que tu hijo escuche que hay algo dentro y ofrécesela. Tu hijo intentará ahora descubrir el contenido de la caja y, de este modo, asimilará el nombre del objeto encontrado.

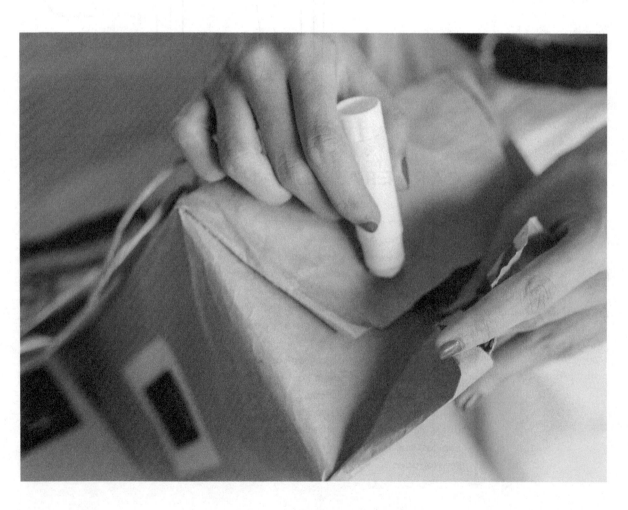

70

# POP-ITS

Los Pop-Its son formas planas y coloridas con numerosas protuberancias redondas del tamaño del pulgar. Estas protuberancias se pueden presionar con los dedos, lo que produce un sonido de estallido. Los Pop-Its se utilizan a menudo con pacientes con TDAH, pero los niños pequeños también se divierten con estos juguetes. A los bebés les fascinan los sonidos que hacen al presionarlos y disfrutan de la autoeficacia que experimentan.

# LIBROS

Tu hijo ya está en edad de que le leas o lo acompañes a hojear libros durante al menos 15 minutos al día. Tu hijo aprenderá el idioma a través de la melodía del sonido. Para ello son adecuados, por ejemplo, los libros ilustrados con un animal por página o los libros con rimas cortas.

A esta edad ya puedes proporcionar a tu hijo varios libros a la vez (pero no deben ser más de cinco). Evita colocar los libros en una estantería por encima de la altura del niño, como es habitual con los adultos. Naturalmente, tu hijo aún no sabe leer, y si ve el libro de frente le resultará más fácil reconocerlo. Para ello se pueden comprar estanterías pequeñas de libros para niños. También puedes atornillar una estantería a la pared. Para ello son adecuadas, por ejemplo, las repisas, de las que los libros no pueden caerse y pueden estar de pie con la portada mirando al frente.

# TACTO

9 - 12 MESES

## BANDEJA DE AGUA CON COMIDA

**¿A partir de qué edad?**
Desde los 9 meses

**Tiempo necesario:**
5 Minutos

**Preparación:** fácil

**¿En qué favorece?**
Gusto

**Materiales:** Bandeja, agua, naranja, lima, menta

Llena una bandeja poco profunda con 2,5 cm de agua y colócala delante de tu hijo. Añade rodajas de naranja, rodajas de lima y menta picada una tras otra. Cambia el agua de vez en cuando. Tu hijo examinará los alimentos en el agua y es casi seguro que los probará. De este modo, se estimulan varios sentidos a la vez.

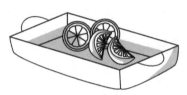

## OOBLECK

Un oobleck es un fluido no newtoniano y supone una gran experiencia para niños pequeños y mayores. Los fluidos no newtonianos se endurecen cuando se les aplica presión. Se trata de una experiencia totalmente nueva para tu hijo.

Mezcla harina de maíz y agua en un cuenco en una proporción de 2:1 y deja que tu hijo experimente con el líquido. Si quieres, puedes colorear previamente el oobleck con colorante comestible. El oobleck es maravillosamente fácil de desechar: cuando se haya endurecido, basta con aspirarlo con la aspiradora, y cuando esté líquido, puedes diluirlo y tirarlo por el desagüe.

**¿A partir de qué edad?**
Desde los 9 meses

**Tiempo necesario:**
5 Minutos

**Preparación:** fácil

**¿En qué favorece?** Sentido del tacto, sentido de las propiedades físicas

**Materiales:** Harina de maíz, agua, cuenco, oobleck

TACTO

# CUBITOS DE HIELO DE COLORES

**¿A partir de qué edad?**
A partir de 9 meses

**Tiempo necesario:**
5 Minutos

**Preparación:** fácil

**¿En qué favorece?**
Sentido del tacto

**Materiales:** Agua, moldes de cubitos de hielo, colorante comestible, bolsas con cierre

Llena de agua los moldes de cubitos de hielo, añade unos chorritos de colorante comestible a cada uno y congélalo todo. A continuación, ofrece los cubitos de hielo a tu hijo en una bolsa con cierre hermético. El niño podrá sentir el frío a través de la bolsa y ver cómo los cubitos se derriten y se convierten en agua de colores.

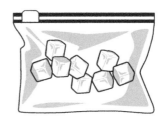

# PIEDRAS EN UNA BAÑERA

Llena una bañera poco profunda con 2,5 cm de agua y pon dentro algunas piedras grandes. Tu hijo puede lanzar las piedras al agua a su antojo y disfrutar de las salpicaduras. También puedes rellenar el agua de vez en cuando si ya se ha salpicado demasiado. Este ejercicio es adecuado para el balcón o el jardín. No dejes nunca al niño sin supervisión, ya que podría ahogarse o atragantarse.

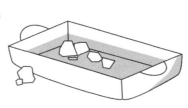

**¿A partir de qué edad?**
Desde los 9 meses

**Tiempo necesario:**
5 Minutos

**Preparación:** fácil

**¿En qué favorece?**
Músculos de los brazos, autoeficacia

**Materiales:** Bañera, agua, piedras

9 - 12 MESES

# DIFERENCIAS DE TEMPERATURA

**¿A partir de qué edad?**
Desde los 9 meses

**Tiempo necesario:**
5 Minutos

**Preparación:** fácil

**¿En qué favorece?**
Sentido del tacto

**Materiales:** Cubitos de hielo, arena

Puedes presentar a tu hijo las diferencias de temperatura y explicarlas con las palabras "caliente" y "frío". Pon cubitos de hielo en un cuenco y arena caliente en otro. Mantén una de las manos de tu hijo en el cuenco con hielo y después la otra en el cuenco con arena. A tu hijo le fascinarán las diferencias de temperatura.

TACTO

# FORMACIÓN DEL PENSAMIENTO

## TORRE ROSA

La Torre Rosa es una pieza clásica del equipamiento Montessori. Consta de 10 cubos, el mayor de los cuales tiene una longitud de 10 cm. La longitud de la arista de cada cubo más pequeño es siempre 1 cm más corta que la del anterior. Por lo tanto, el cubo más pequeño tiene una arista de 1 cm de longitud. A diferencia de otras torres de apilamiento, la Torre Rosa no es hueca, sino de madera. Por lo tanto, los cubos individuales difieren en tamaño, volumen y peso.

Coloca el segundo cubo más grande encima del más grande y enséñale a tu hijo cómo se construye una torre. Al principio no le resultará fácil, pero con el tiempo irá desarrollando mayores habilidades. Manipular el cubo más pequeño también requiere bastante habilidad y entrena el agarre de pinza.

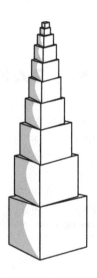

**¿A partir de qué edad?**
Desde los 9 meses

**¿En qué favorece?**
Motricidad fina, sentido de las relaciones físicas, peso y tamaños

## LABERINTO DE CUENTAS

**¿A partir de qué edad?**
Desde los 9 meses

**¿En qué favorece?**
Motricidad fina, pensamiento lógico

Ofrece a tu hijo un laberinto de cuentas o un cubo de cuentas. Tu hijo disfrutará moviendo las piezas e intentando averiguar cuál es la mejor manera de hacerlo.

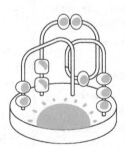

# CANDADO PEQUEÑO CON LLAVE

A los niños de esta edad les encanta introducir cosas en un sitio y volver a sacarlas. Este ejercicio es un reto cognitivo y de motricidad fina especial. Todo lo que necesitas es un candado normal. Ata la llave al candado con un cordel y enséñale a introducirla en el candado y a sacarla. Tu hijo intentará hacer lo mismo. Al principio, seguramente fallará, pero con el tiempo lo irá haciendo cada vez mejor.

**¿A partir de qué edad?**
Desde los 9 meses

**Tiempo necesario:** 15 Minutos

**Preparación:** fácil

**¿En qué favorece?**
Motricidad fina, agarre de pinza, pensamiento lógico, concentración

**Materiales:** Candado, llave

# CAJA IMBUCARE

Una caja Imbucare es una pequeña caja de madera en la que hay un agujero en la parte superior en el que se puede introducir una pelota. La pelota cae en un pequeño cajón que el niño debe abrir para recuperarla. De este modo, el niño tiene claro que la pelota que acaba de introducir en el agujero sigue estando ahí, aunque no pueda verla en ese momento.

También puedes construir tú mismo un cajón de este tipo utilizando una caja de cartón. Como alternativa al cajón, también puedes hacer un agujero en la parte delantera de la caja a través del cual tu hijo pueda alcanzar la pelota. La abertura no debe ser lo bastante profunda como para que la pelota pueda salir rodando por sí sola.

**¿A partir de qué edad?**
Desde los 9 meses

**Tiempo necesario:** 15 Minutos

**Preparación:** fácil

**¿En qué favorece?**
Permanencia de objetos

**Materiales:** Caja Imbucare, pelota

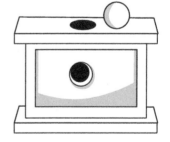

# TABLERO OCUPADO

Por un lado, un Tablero Ocupado es una elaborada tarea "hazlo tú mismo" para la que necesitas cierto grado de habilidad manual. Pero, por otro lado, también es algo que divertirá a tu hijo mucho más allá de su primer cumpleaños. Los Tableros Ocupados prefabricados de un tamaño atractivo suelen costar más de 100 dólares estadounidenses, por lo que una solución casera merece la pena desde el punto de vista económico.

Para la versión "hazlo tú mismo", necesitas un panel de madera y varios objetos que puedas fijar en él y que resulten interesantes para tu hijo. Son adecuados, por ejemplo:

- varios cierres: cremallera, cadena de seguridad
- interruptor de luz
- varios candados con llaves pasivas
- un timbre de bicicleta
- engranajes giratorios entrelazados
- un espejo
- pelotas de madera en un cordel (el cordel se ata por detrás; las pelotas se pueden mover)
- imanes grandes
- ruedas (como las de los tableros rodantes)
- un enchufe con clavija
- un xilófono
- un puzzle o rompecabezas insertable con la forma del nombre del niño

Puedes montar fácilmente un Tablero Ocupado con cosas que puedes encontrar en casa. Puedes encontrar más piezas en la ferretería. Dependiendo de los materiales utilizados, un Tablero Ocupado hecho por ti mismo debería costar entre 30 y 40 dólares. Las posibilidades son infinitas.

**¿A partir de qué edad?**
Desde los 9 meses

**Tiempo necesario:** varias horas

**Preparación:** difícil

**¿En qué favorece?** Sentido del tacto, motricidad fina, pensamiento lógico, atención, concentración

**¿A partir de qué edad?** Desde los 11 meses

**Tiempo necesario:** 15 Minutos

**Preparación:** fácil

**¿En qué favorece?** Motricidad fina, planificación de acciones, pensamiento lógico

**Materiales:** Varias cajas y estuches

# ABRIR Y CERRAR CONTENEDORES

A partir del primer cumpleaños, a los niños les encanta abrir y cerrar objetos. Puedes ofrecer a tu hijo distintas cajas y cartones y demostrarle cómo abrirlos. Tu hijo intentará hacerlo solo. Cambia los objetos con regularidad para que la actividad siga siendo emocionante para tu hijo.

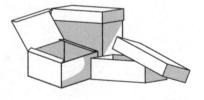

# EJERCICIOS PRÁCTICOS DE LA VIDA COTIDIANA

Los ejercicios prácticos de la vida suelen comenzar en la mesa de la cena para los niños que aún no han cumplido un año. Tu hijo aprende a comer con los dedos, a tragar cada vez menos, a beber en vasos y a utilizar el tenedor. Tan pronto como tu hijo pueda ponerse de pie libremente, también puedes involucrarlo en las tareas domésticas.

## BEBER DE UNA TAZA PEQUEÑA O DE UN VASO

Ya deberías ofrecer a tu hijo líquidos con su comida complementaria. Si aún no lo has hecho, comienza ofreciéndole agua en un vaso o taza pequeños. Por ejemplo, son adecuados los vasos que tu hijo pueda sostener bien o las tazas pequeñas de café expreso. Si tienes hueveras con formas bonitas, tu hijo también puede beber de ellas.

**¿A partir de qué edad?**
Desde los 9 meses

**¿En qué favorece?**
Motricidad fina

**Materiales:** Vasos o tazas pequeños, agua

## COMER TROZOS PEQUEÑOS

Hasta ahora, le has ofrecido a tu hijo ya sea purés o comida para comer con los dedos, o una combinación de ambos. Independientemente de la forma en que hayas comenzado con la alimentación complementaria, debes introducir a tu hijo en la alimentación sólida. Un buen ejercicio de motricidad es hacer que tu hijo tome pequeños trozos (fruta o copos de maíz redondos sin azúcar) con el agarre de pinza.

**¿A partir de qué edad?**
Desde los 9 meses

**¿En qué favorece?**
Motricidad fina

# PONER LA MESA

Puedes enseñarle a tu hijo cómo se pone una mesa. Existen mantelitos de silicona que tienen dibujados los contornos de los platos, los cubiertos y los vasos. Pero también puedes diseñar un mantelito dibujándolo en una hoja grande de papel y colocándolo debajo de un mantel transparente que repele la suciedad. Al hacer esto, puedes asegurarte de que los cubiertos no se dibujan junto al plato, como es el caso clásico, sino encima. Esto tiene la ventaja de que tu hijo puede decidir libremente con qué mano tomar los cubiertos. De este modo, no se le obliga inconscientemente a utilizar una mano determinada.

**¿A partir de qué edad?**
Desde los 9 meses

**¿En qué favorece?**
Poner la mesa

**Materiales:** Papel, bolígrafo, almohadilla transparente

# SACAR LA ROPA DE LA LAVADORA

**¿A partir de qué edad?**
Desde los 10 meses

**¿En qué favorece?**
Mantenerse de pie, autoeficacia

Lavar la ropa es una parte importante de cualquier hogar familiar, y en ella hay distintas actividades que tu hijo puede realizar a medida que se hace mayor. Los niños pequeños que pueden mantenerse de pie con seguridad pueden sacar la ropa de la lavadora y echarla en el cesto de la ropa limpia. Puedes utilizar la torre de aprendizaje como ayuda si tu lavadora está elevada.

# ORDENAR HUEVOS

Deja que tu hijo ordene los huevos en un portahuevos de la nevera. Puedes utilizar huevos cocidos o huevos de madera para jugar. Si te atreves, prueba a hacerlo con huevos crudos bajo supervisión.

**¿A partir de qué edad?**
Desde los 11 meses

**¿En qué favorece?**
Motricidad fina

**Materiales:** Huevera, huevos (cocidos o de madera)

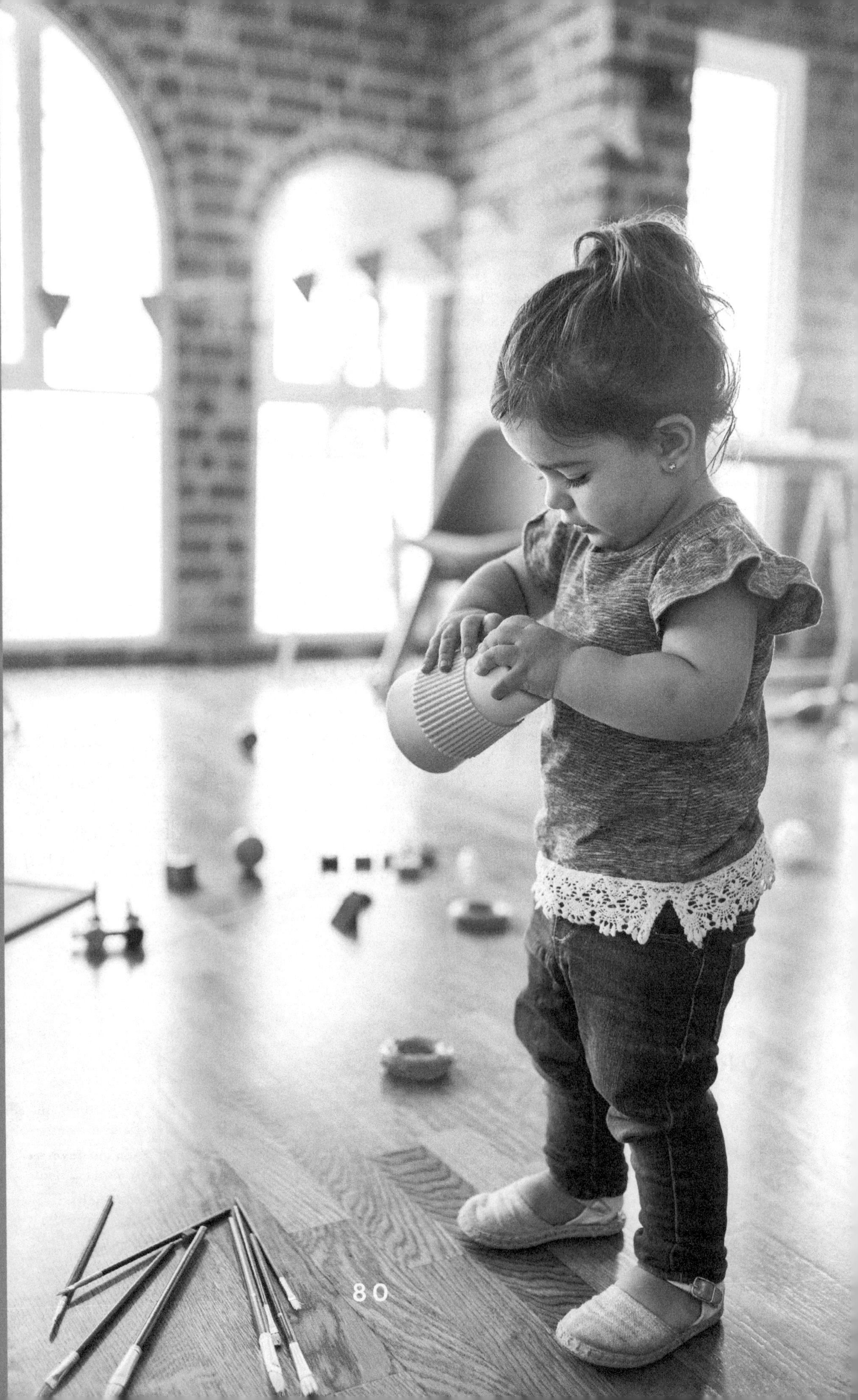

# DE 1 A 1 AÑO Y MEDIO

~

**Desarrollo motriz:** Durante este periodo, los niños aprenden a ponerse de pie sin sujetarse y a andar libremente. Pueden agacharse o inclinarse hacia delante y volver a ponerse de pie, disfrutan tirando de objetos con ellos e intentan levantar cosas pesadas. Muchos niños disfrutan trepando y algunos ya intentan saltar. A los 18 meses, la mayoría de los niños pueden dar algunos pasos hacia atrás y subir escaleras a gatas.

Al año y medio, la mayoría de los niños pueden comer solos con tenedor y cuchara, construir una torre con tres o cuatro bloques y dibujar una línea en un papel.

**Desarrollo sensorial:** La visión a distancia de tu hijo ya está completamente desarrollada y su visión es comparable a la de un adulto. Puede seguir fácilmente objetos en movimiento.

**Desarrollo del lenguaje:** Tu hijo puede pronunciar sus primeras palabras y señalar cosas (por ejemplo, partes del cuerpo) cuando se le pide. Puede combinar palabras y gestos para expresar algo. A los 18 meses, algunos niños ya son capaces de pronunciar hasta 50 palabras. A partir de este vocabulario activo, se produce la llamada explosión del vocabulario, y el número de palabras pronunciadas activamente aumenta rápidamente.

**Desarrollo cognitivo y relacional:** Tu hijo puede imaginar cosas y aprende a utilizar objetos cotidianos, como el teléfono. Algunos niños ya clasifican los juguetes por colores, formas o tamaños. Tu hijo desmonta juguetes y los vuelve a montar.

Para muchos niños, ahora comienza la fase de autonomía, que antes solía llamarse "fase de rebeldía". Tu hijo se esfuerza por ser independiente en muchas áreas, por ejemplo, quiere comer y vestirse solo, y a menudo se sentirá frustrado porque todavía no domina muchas cosas. A menudo dirá "¡No!" y tendrá rabietas. Sigue estas situaciones con calma y refleja los sentimientos de tu hijo. Nombra sus sentimientos con palabras y permítele que los represente. Tranquiliza a tu hijo después y permanece presente todo el tiempo. Ofrécele consuelo.

A tu hijo le gusta estar con otros niños y adultos y es bueno mostrando afecto. Reconoce su propio reflejo en el espejo e imita a otras personas.

1 - 1,5 AÑOS

# COORDINACIÓN MANO-OJO

## PONER BOLAS DE ALGODÓN EN UNA BOTELLA VACÍA

En una bandeja, ofrece a tu hijo una botella de plástico transparente vacía sin tapa y, en un recipiente pequeño aparte, bastoncillos de algodón, también llamados hisopos o cotonetes. Introduce una bolita de algodón en la botella y anima a tu hijo a que lo imite.

¿A partir de qué edad?
De 1 año en adelante.

**Tiempo necesario:**
5 Minutos

**Preparación:** fácil

**¿En qué favorece?**
Motricidad fina

**Materiales:** Bandeja, botellas de plástico, bastoncillos de algodón o hisopos en un recipiente aparte.

¿A partir de qué edad?
De 1 año en adelante.

**Tiempo necesario:**
5 Minutos

**Preparación:** fácil

**¿En qué favorece?**
Motricidad fina

**Materiales:** Pompones, batidora, cesta

## SACAR POMPONES DE UN BATIDOR

Coloca los pompones dentro de un batidor y dáselo a tu hijo junto con una cesta pequeña. Demuéstrale cómo se saca un pompón del batidor y se lanza la cesta. Tu hijo repetirá esta acción.

# ARRANCAR CINTA WASHI DE LA PARED

Pega cinta washi de colores llamativos en la pared. Muéstrale a tu hijo cómo despegar un poco de cinta y déjale el resto de la misma. Para que el ejercicio sea un poco más fácil, puedes dejar una pequeña esquina sobresaliendo al final de la cinta para que tu hijo pueda despegarla fácilmente empleando el agarre de pinza.

**¿A partir de qué edad?**
De 1 año en adelante.

**Tiempo necesario:**
5 Minutos

**Preparación:** fácil

**¿En qué favorece?**
Motricidad fina, agarre de pinza, músculos de brazos y hombros

**Materiales:** Cinta washi

---

# EJERCICIOS DE VERTIDO

**¿A partir de qué edad?**
De 1 año en adelante.

**Tiempo necesario:**
5 Minutos

**Preparación:** fácil

**¿En qué favorece?**
Motricidad fina, sentido del tacto, concentración, atención

**Materiales:** Bandeja, lentejas o arroz, cucharas

Llena una bandeja poco profunda con lentejas secas o arroz. Ofrece a tu hijo varios utensilios para que juegue a verter los ingredientes en esta bandeja, por ejemplo, cucharas, cucharones, embudos o palas. Tu hijo se sentirá atraído por esta bandeja de acción para jugar con estos materiales sensoriales.

---

# INSERTAR MONEDAS

Coloca una hucha, también llamada alcancía, en una bandeja con un pequeño recipiente con monedas. Muestra a tu hijo cómo se introduce una moneda en ella e invítalo a que lo intente por su cuenta. El tintineo de las monedas al caer dentro motivará aún más a tu hijo.

**¿A partir de qué edad?**
De 1 año en adelante.

**Tiempo necesario:**
5 minutos

**Preparación:** fácil

**¿En qué favorece?**
Motricidad fina, concentración

**Materiales:** Hucha o alcancía, bandeja, monedas

# PEGAR NIEVE EN UN MUÑECO DE NIEVE

**¿A partir de qué edad?**
De 1 año en adelante.

**Tiempo necesario:**
5 Minutos

**Preparación:** fácil

**¿En qué favorece?**
Motricidad fina

**Materiales:** Papel oscuro, lápiz blanco, pegamento en barra, recipiente, pompones blancos

Dibuja un muñeco de nieve en una hoja de papel oscuro utilizando un lápiz blanco y cubre la superficie del muñeco con pegamento en barra. Ofrece a tu hijo el papel preparado y un pequeño recipiente lleno de pompones blancos. Pega un pompón en la superficie pegajosa y explica a tu hijo que ahora vas a llenar el muñeco de nieve con nieve. Anima a tu hijo a realizar la actividad.

Este ejercicio es especialmente bueno durante la estación invernal. En otoño, puedes utilizar una calabaza y pompones naranjas. En verano, pinta previamente un cono de helado con varias capas por encima. Después, pégale pompones de distintos colores para representar distintos sabores de helado.

# LANZAR UNA PELOTA CONTRA LA PARED

**¿A partir de qué edad?**
Desde los 15 meses

**Tiempo necesario:** 10 Minutos

**Preparación:** fácil

**¿En qué favorece?**
Movimiento de lanzamiento, capacidad de puntería, músculos de brazos y hombros

**Materiales:** Cinta adhesiva, papel de aluminio, pelota blanda

Pega un trozo de papel de aluminio de aproximadamente 25x25 cm a la pared o a la puerta con cinta adhesiva. Esta será la zona de tiro. Anima a tu hijo a golpear este objetivo con una pelota blanda cuando la lance. El crujido del papel de aluminio les indicará a ambos cuando el lanzamiento de en el blanco.

# FORMAS Y COLORES

## CLASIFICAR CÍRCULOS POR COLORES

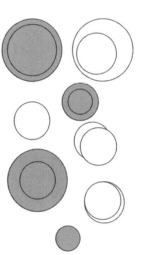

**¿A partir de qué edad?**
De 1 año en adelante.

**Tiempo necesario:** 10 Minutos

**Preparación:** fácil

**¿En qué favorece?**
Comprensión de los colores, primer ejercicio de clasificación

**Materiales:** Cartulina, tijeras, papel, bandeja, cesta

Recorta aproximadamente 20 círculos de cartulina o cartoncillo de dos colores distintos. No es necesario que sean del mismo tamaño. Toma una hoja blanca y pega en ella la mitad de los círculos de colores, utilizando ambos colores, aunque manteniéndolos separados. Ofrece la hoja a tu hijo en una bandeja y también coloca el resto de los círculos en una cesta sobre la bandeja. Toma un círculo y colócalo sobre la hoja con el color correspondiente. Repita la acción con un círculo del otro color nombrando los colores a medida que lo haces. Anima a tu hijo a copiar este ejercicio. Cuando tu hijo se sienta seguro, puedes añadir otro color.

## CREAR UN MURO PARA DIBUJAR

Tu hijo está pasando de la fase de pintar con los dedos a la llamada fase de garabatear. Ahora es el momento de ofrecerle sus primeros lápices de colores, por ejemplo, lápices de colores gruesos o crayones de cera que tu hijo pueda sostener fácilmente en la mano. Puedes instalar un muro de colorear para que tu hijo se exprese artísticamente. Fija rollos de papel adecuados en la pared y deja que tu hijo pinte sobre ellos. Pero antes, explícale que solo puede dibujar sobre papel.

**¿A partir de qué edad?**
De 1 año en adelante.

**Tiempo necesario:** 15 Minutos

**Preparación:** fácil

**¿En qué favorece?**
Creatividad

**Materiales:** Lápices, papel

## PUZZLE O ROMPECABEZAS DE FORMAS

**¿A partir de qué edad?**
Desde los 15 meses.

**Tiempo necesario:** 30 Minutos

**Preparación:** media

**¿En qué favorece?** Motricidad fina, comprensión de las formas

**Materiales:** Caja de cartón, tijeras, pegamento, pistola de pegamento caliente, tapa de bolsa exprimible.

Para prepararlo, necesitas dos trozos de una caja de cartón del mismo tamaño (aproximadamente 30x30 cm). Recorta varias formas geométricas de uno de estos trozos (por ejemplo, un cuadrado, un triángulo, un círculo, un corazón, una estrella, etc.) Ahora pega el segundo trozo de cartón en la parte posterior del primero para que tu rompecabezas tenga una parte posterior. Puedes pegar las tapas de las bolsas exprimibles con una pistola de pegamento caliente para añadir un asa a las piezas con forma. Ofrece a tu hijo las piezas del rompecabezas en una cesta que colocarás encima del rompecabezas. Enséñale a "encajar" una pieza correctamente y anímalo a hacer lo mismo.

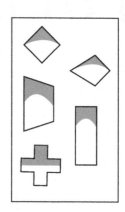

## HELADOS CON CÍRCULOS DE COLORES

Dibuja un cono de helado estilizado en una hoja de papel. Un triángulo marrón claro representa el cono y los círculos superpuestos representan las bolas. Una vez hecho esto, tendrás un cono simple con círculos vacíos en la parte superior. Dibuja varios conos de helado con círculos en una hoja de papel. A continuación, recorta círculos utilizando cartulinas de colores. Los círculos deben ser del mismo tamaño que los que has dibujado encima de los conos. Coloca los círculos en una cesta aparte. Coloca un círculo encima de un cono de helado para formar las bolas que representan los sabores. Pide a tu hijo que también haga coincidir el resto de círculos. La parte interior de los conos se puede pintar para que coincida con los círculos recortados de la cartulina de colores, si así lo prefieres.

**¿A partir de qué edad?**
Desde los 15 meses

**Tiempo necesario:** 15 Minutos

**Preparación:** fácil

**¿En qué favorece?**
Reconocer los colores

**Materiales:** Papel, lápices, tijeras

## LANZAR POMPONES A TRAVÉS DE ROLLOS DE PAPEL HIGIÉNICO

**¿A partir de qué edad?**
Desde los 15 meses.

**Tiempo necesario:** 10 Minutos

**Preparación:** fácil

**¿En qué favorece?**
Distinguir los colores

**Materiales:** Rollos de papel higiénico vacíos, pegamento, cartulinas de colores, recipiente, pompones

Reúne 4 o 5 rollos de papel higiénico vacíos. Envuelve cada uno en cartulina de un color distinto y pégalos verticalmente uno al lado del otro en la pared, a unos 10 cm del suelo. Coloca un recipiente pequeño debajo de cada rollo para que los objetos que pasen a través de los rollos caigan dentro y coloca pompones de los mismos colores de los rollos en otro recipiente. Toma un pompón y lánzalo al rollo del color correspondiente. Cuando los pompones entren en el rollo, caerán en el recipiente que has colocado debajo. Tu hijo debe emparejar todos los pompones correctamente.

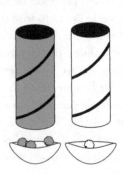

# LENGUAJE Y AUDICIÓN

## CESTA DE LENGUAJE

Coloca los animales de juguete en una pequeña cesta y ofrécelos a tu hijo para que juegue con ellos. Durante el juego, siempre puedes señalar con qué animal está jugando y qué sonido hace. Es una buena idea utilizar animales que tu hijo ya haya visto en su vida cotidiana, debido a que ya tiene una imagen interna de estos animales y una mejor conexión con ellos.

**¿A partir de qué edad?**
De 1 año en adelante.

**Tiempo necesario:**
5 Minutos

**Preparación:** fácil

**¿En qué favorece?**
Vocabulario

**Materiales:** Animales de juguete, cesta

## ASIGNAR ALIMENTOS

**¿A partir de qué edad?**
De 1 año en adelante.

**Tiempo necesario:** 5 Minutos

**Preparación:** fácil

**¿En qué favorece?** Vocabulario

**Materiales:** Imágenes plastificadas de frutas y hortalizas

Imprime imágenes de frutas y verduras y plastifícalas. Coloca las tarjetas en la mesa del comedor, junto con el alimento representado. Haz que tu hijo empareje el alimento real con la tarjeta correcta.

## ESCONDER FIGURAS DE ANIMALES

Llena una bandeja poco profunda con lentejas secas, garbanzos o arroz. Esconde en ella algunas figuras de animales de tu hijo. Muéstrale cómo buscar las figuras y pregúntale si también puede encontrar un animal. A continuación, pregúntale de qué animal se trata o díselo tú mismo si aún no sabe pronunciar la palabra.

**¿A partir de qué edad?** De 1 año en adelante.

**Tiempo necesario:** 5 Minutos

**Preparación:** fácil

**¿En qué favorece?** Vocabulario

**Materiales:** Bandeja, lentejas o similar, figuras de animales

# HACER UN BATIDO

Elige una receta de batido y pon todos los ingredientes necesarios sobre la mesa. Léele a tu hijo un ingrediente a la vez y pídele que te muestre dónde está ese elemento. A continuación, pela y prepara los ingredientes permitiendo que tu hijo te ayude durante este proceso. Después, pídele que los eche en la batidora. Con este ejercicio práctico, tu hijo puede profundizar en su vocabulario al mismo tiempo. Observa siempre a tu hijo con atención cuando esté cerca de objetos afilados y aparatos eléctricos.

**¿A partir de qué edad?**
Desde los 15 meses

**Tiempo necesario:**
5 Minutos

**Preparación:** fácil

**¿En qué favorece?**
Vocabulario, autoeficacia

**Materiales:** Ingredientes para un batido

**¿A partir de qué edad?**
Desde los 15 meses.

**Tiempo necesario:**
5 Minutos

**Preparación:** fácil

**¿En qué favorece?**
Asignación de colores

**Materiales:** Lápices, papel

# BÚSQUEDA DE COLORES

Dibuja un círculo grande en una hoja de papel y divídelo en 5 o 6 colores de tu elección. Ahora señala un color y pide a tu hijo que busque algo del mismo color. A continuación, tu hijo debe intentar encontrar otros objetos de los colores indicados, ya sea solo o acompañado por ti. Si no lo logra enseguida, puedes ayudarle y, por ejemplo, tomar un bloque de construcción y colocarlo en la sección del círculo que sea del mismo color.

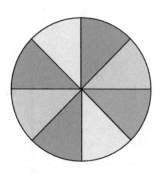

# CANTAR

Por supuesto, no deberías comenzar a cantar a tu hijo únicamente después de que cumpla un año. Si tu hijo ya pronuncia algunas palabras, puedes cantarle canciones que conozca bien y hacer una pausa antes de ciertas palabras para que las complete. Te sorprenderá lo bien que puede completar las estrofas.

**¿A partir de qué edad?**
Desde los 15 meses.

**¿En qué favorece?**
Vocabulario

# TACTO

## SLIME DE JUGUETE NO TÓXICO

**¿A partir de qué edad?**
De 1 año en adelante.

**Tiempo necesario:** 15 Minutos

**Preparación:** media

**¿En qué favorece?** Sentido del tacto, músculos de la mano

**Materiales:** Semillas de chía, agua, colorante comestible, bandeja, cuchara, cucharón

Para este slime de juguete no tóxico, necesitarás lo siguiente:
- 25 g de semillas de chía
- de 150 a 200 ml de agua
- colorante comestible

Mezcla las semillas de chía con agua y colorante alimentario. Debido a que las semillas tardan unas horas en empaparse por completo, es buena idea cubrirlas y meterlas en la nevera toda la noche. Al día siguiente, se habrá formado una baba pegajosa. Ahora trabaja (bate o usa las manos) la mezcla hasta que consigas la consistencia deseada y el slime ya no deje manchas. Ofrece el slime a tu hijo para que juegue con él en una bandeja con algunos utensilios como una cuchara, un tenedor, un embudo y un cucharón.

## NIEVE CASERA

Puedes hacer nieve en casa, incluso en verano o en inviernos en los que no nieva. Todo lo que necesitas es harina de maíz, aceite para bebés y, si lo prefieres, un poco de purpurina. Mezcla la harina de maíz y el aceite de bebé en una proporción de 8:1. Escucharás cómo cruje. Ahora vierte la "nieve" en una bandeja poco profunda o en una bandeja para hornear. Ofrécele algunos recipientes o juguetes para esto, y deja que tu hijo experimente con ella como quiera. Si algo cae al suelo, puedes aspirarlo fácilmente.

**¿A partir de qué edad?**
De 1 año en adelante.

**Tiempo necesario:**
5 Minutos

**Preparación:** fácil

**¿En qué favorece?**
Sentido del tacto, motricidad fina

**Materiales:** Harina de maíz, aceite para bebés, bandeja, recipientes, juguetes

# PINTAR HIELO

¿A partir de qué edad?
De 1 año en adelante.

**Tiempo necesario:** 5 Minutos

**Preparación:** fácil

**¿En qué favorece?** Sentido del tacto, pintar con pinceles

**Materiales:** Recipientes para congelar, agua, acuarelas

Llena un recipiente grande para congelar con 5 cm de agua y déjalo en el congelador toda la noche. Al día siguiente, puedes pintar el bloque de hielo con tu hijo utilizando acuarelas. Este ejercicio es especialmente adecuado para los días calurosos de verano.

# ESPUMA DE JUGUETE

Para esta espuma de juego, mezcla los siguientes ingredientes en una batidora:

- 100 ml de agua
- 2 cucharadas de detergente líquido
- 1 cucharada de harina fina
- opcionalmente, unas gotas de colorante comestible

Ofrece a tu hijo la espuma en una bandeja. Puedes utilizar figuras de juguete con ella. Ten en cuenta que la espuma se deshará al cabo de un tiempo, así que no la prepares con demasiada antelación. Debido al jabón incluido en esta receta, los niños no deben consumir la espuma.

¿A partir de qué edad?
De 1 año en adelante.

**Tiempo necesario:**
5 Minutos

**Preparación:** fácil

**¿En qué favorece?**
Sentido del tacto

**Materiales:** Agua, detergente líquido, harina, colorante comestible opcional, bandeja, figuras de juguete.

¿A partir de qué edad?
De 1 año en adelante.

**Tiempo necesario:** 5 Minutos

**Preparación:** fácil

**¿En qué favorece?** Creatividad, músculos de las manos

**Materiales:** Harina, sal, ácido cítrico, agua, aceite de cocina, colorante comestible, moldes para galletas.

# MODELAR ARCILLA

Mezcla los siguientes ingredientes en una batidora:

- 400 g de harina
- 200 g de sal
- 2 cucharadas de ácido cítrico
- 500 ml de agua hirviendo
- 3 cucharadas de aceite de cocina
- colorante comestible

Ofrece a tu hijo la arcilla para modelar junto con unos moldes para galletas, y luego formen figuras juntos.

TACTO

1 – 1,5 AÑOS

# FORMACIÓN DEL PENSAMIENTO

## PUZZLES O ROMPECABEZAS

Ahora puedes ofrecer a tu hijo puzzles o rompe-cabezas de varias piezas. Los rompecabezas de madera de 5 piezas son adecuados.

**¿A partir de qué edad?**
De 1 año en adelante.

**¿En qué favorece?**
Comprensión de las formas, pensamiento lógico, concentración

## LIBROS CON SOLAPAS

**¿A partir de qué edad?**
De 1 año en adelante.

**¿En qué favorece?**
Concentración, atención, motricidad fina, adquisición del lenguaje.

Ofrécele también libros con solapas que tu hijo pueda abrir. De este modo, tu hijo puede descubrir un libro de forma independiente.

## MUÑECAS RUSAS

Para insertar las muñecas rusas en la secuencia correcta, el niño debe ser capaz de calcular correctamente los tamaños. Enséñale a separar las muñecas y a volverlas a montar. Desmonta todo de nuevo y pídele que coloque las figuras una dentro de otra. Como este ejercicio puede ser bastante difícil desde el punto de vista motriz, dependiendo de la muñeca, es posible que quieras ayudar a tu hijo con esto.

**¿A partir de qué edad?**
Desde los 15 meses.

**¿En qué favorece?**
Comprensión de los tamaños, pensamiento lógico

# ENCONTRAR LAS TAPAS ADECUADAS

**¿A partir de qué edad?**
Desde los 15 meses.

**Tiempo necesario:**
5 Minutos

**Preparación:** fácil

**¿En qué favorece?**
Sensación de distintas formas, atención

**Materiales:** Recipientes con tapa, bandeja

Reúne varios recipientes distintos, por ejemplo, estuches de congelación y frascos con tapa de rosca. Coloca las tapas por separado en una bandeja y pide a tu hijo que empareje las tapas correspondientes con los recipientes.

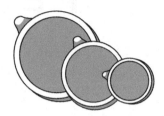

# ¿GRANDE O PEQUEÑO?

Recorta dos círculos de cartulina de colores, uno muy grande y otro muy pequeño. Pégalos en una hoja de papel. Ahora recorta más círculos, alternando entre grandes y pequeños. Colócalos en un recipiente aparte y ponlo todo junto en una bandeja. Toma un círculo y colócalo junto al círculo grande o al pequeño que pegaste. Comenta lo que estás haciendo y describe si el círculo es grande o pequeño. Toma otro círculo y pregunta a tu hijo si es grande o pequeño y dónde colocarlo. Tu hijo no tardará en hacer este ejercicio de forma autónoma.

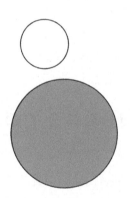

**¿A partir de qué edad?**
Desde los 15 meses.

**Tiempo necesario:** 10 Minutos

**Preparación:** fácil

**¿En qué favorece?**
Comprensión de los tamaños

**Materiales:** Tijeras, cartulinas de colores, bandeja, recipiente

1 – 1,5 AÑOS

FORMACIÓN DEL PENSAMIENTO

# EJERCICIOS PRÁCTICOS DE LA VIDA COTIDIANA

**¿A partir de qué edad?**
De 1 año en adelante.

**Tiempo necesario:** 5 Minutos

**Preparación:** fácil

**¿En qué favorece?** Motricidad fina, abrir cierres, autonomía, concentración

**Materiales:** Estuche, cualquier objeto

## ABRIR UNA CREMALLERA

A esta edad, los niños se interesan mucho por los cierres. Puedes fomentar este interés ofreciéndole un estuche con cremallera y colocando un objeto pequeño en su interior. De este modo, aprenderá a abrir y cerrar cremalleras jugando.

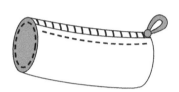

## PELAR FRUTA

Haz que tu hijo participe en la cocina y pelen frutas juntos. Una buena elección es un plátano del que ya hayas pelado una tira. Más adelante, tu hijo también puede probar con una mandarina.

**¿A partir de qué edad?** De 1 año en adelante.

**Tiempo necesario:** 5 Minutos

**Preparación:** fácil

**¿En qué favorece?** Motricidad fina, agarre de pinza, autonomía, atención

**Materiales:** Plátanos o mandarinas

**¿A partir de qué edad?**
De 1 año en adelante.

**Tiempo necesario:**
5 Minutos

**Preparación:** fácil

**¿En qué favorece?**
Autonomía

## ELEGIR ROPA

Prepara dos conjuntos para tu hijo la noche anterior, de modo que pueda elegir uno de ellos a la mañana siguiente. Una selección más amplia podría abrumar a tu hijo.

# PRACTICAR EL VERTIDO

En esta fase, tu hijo ya puede practicar el vertido. Al principio, no elijas un vaso pequeño, sino uno de mayor diámetro. La jarra debe ser lo más pequeña posible y no estar completamente llena, para que no pese demasiado.

**¿A partir de qué edad?** De 1 año en adelante.

**Tiempo necesario:** 5 minutos

**Preparación:** fácil

**¿En qué favorece?** Motricidad fina, atención, concentración, autonomía

**Materiales:** Vaso grande, jarra pequeña

**¿A partir de qué edad?** De 1 año en adelante.

**Tiempo necesario:** 5 Minutos

**Preparación:** fácil

**¿En qué favorece?** Autonomía, motricidad gruesa, comprensión de los procesos de crecimiento en la naturaleza

# JARDINERÍA

Deja que tu hijo te ayude con la jardinería. Tu hijo puede palear la tierra, plantar algo, recolectar tomates de los arbustos, regar con una pequeña regadera para niños, etc.

# QUITARSE LOS CALCETINES

Puedes enseñar a tu hijo a vestirse y desvestirse de forma independiente paso a paso. Un primer paso adecuado son los calcetines. Al principio, puedes ayudar a tu hijo a quitarse los calcetines tirando de ellos por encima del talón. Incluso los niños más pequeños, como los que ya han cumplido un año, experimentarán una sensación de logro.

**¿A partir de qué edad?** De 1 año en adelante.

**¿En qué favorece?** Motricidad fina, autonomía

EJERCICIOS PRÁCTICOS

# 18 MESES A 2 AÑOS

**Desarrollo motor:** Tu hijo ya puede andar, correr, saltar y lanzar o patear una pelota por sí solo. Está aprendiendo a subir escaleras sosteniéndose del pasamanos. Tu hijo puede construir torres robustas y desvestirse con ayuda.

Tu hijo tiene muchas ganas de moverse. Vayan a parques infantiles. Aprovecha esto y den muchos paseos al aire libre.

**Desarrollo del lenguaje:** Tu hijo entiende palabras y frases sencillas y puede cumplir peticiones de dos partes ("Por favor, ve al salón y trae tu muñeca"). Con casi 2 años, muchos niños ya pueden decir 50 palabras y formar frases de 2 palabras. Responden a preguntas y pueden nombrar distintas partes del cuerpo.

No utilices el lenguaje infantil; dale suficientes oportunidades para hablar. Repite varias veces las palabras nuevas en distintos contextos, pero no le pidas que las repita.

**Desarrollo cognitivo y relacional:** Tu hijo imita a otras personas y simula actividades cotidianas. Tu hijo encuentra fácilmente objetos familiares y resuelve puzzles o rompecabezas sencillos. Tu hijo se reconoce en el espejo y utiliza su nombre de pila para nombrarse. Tu hijo oscila entre el comportamiento de apego (busca la cercanía de los padres) y la exploración (explora sus alrededores y quiere ser independiente).

Haz que tu hijo participe en muchas actividades cotidianas. Ofrécele rompecabezas sencillos.

# COORDINACIÓN MANO-OJO

## PESCAR PERLAS DE MADERA CON UN PAR DE CUCHARONES HANDY SCOOPERS

Llena de agua una bandeja poco profunda e introduce en ella cuentas o perlas de madera, canicas o pompones. Ofrece a tu hijo un par de cucharones Handy Scoopers y un cuenco vacío. Enséñele a pescar una cuenta con los cucharones y a después depositarla en el cuenco. Invita a tu hijo a continuar el ejercicio.

**¿A partir de qué edad?**
Desde los 18 meses.

**Tiempo necesario:**
5 Minutos

**Preparación:** fácil

**¿En qué favorece?**
Movimiento de tijera y coordinación mano-ojo

**Materiales:** Bandeja, perlas o similares, cuenco, cucharones Handy Scoopers

---

**¿A partir de qué edad?**
Desde los 18 meses.

**Tiempo necesario:** 15 Minutos

**Preparación:** fácil

**¿En qué favorece?**
Movimiento de tijera

**Materiales:** Rollo de papel higiénico, bolígrafo, ojos saltones opcionales, papel de colores, pegamento, tijeras

## CORTAR EL PELO A UN ROLLO DE PAPEL HIGIÉNICO

Pinta unos ojos en un rollo de papel higiénico vacío; si le pegas unos ojos saltones, quedará especialmente gracioso. Recorta tiras de papel de colores de unos 6 cm de longitud. Las tiras deben tener entre 5 y 10 mm de ancho. Pega las tiras en la parte superior del rollo de papel higiénico a modo de pelo desde el interior. Ahora puedes cortar el pelo del rollo de papel higiénico junto con tu hijo.

# ENHEBRAR

Haz un nudo doble o triple en un cordón de zapato. El extremo reforzado hace que funcione bien como cordón para enhebrar. Coloca el cordón en una bandeja, junto con diversos objetos para ensartar en un recipiente. Son adecuadas las cuentas de madera, la pasta cruda con agujeros (por ejemplo, los rigatoni) o el muesli en forma de anillo. Tu hijo puede comerse esto último como aperitivo al terminar.

**¿A partir de qué edad?** Desde los 18 meses.

**Tiempo necesario:** 5 Minutos

**Preparación:** fácil

**¿En qué favorece?** Habilidades motoras mano-ojo y agarre de pinza

**Materiales:** Cordones, bandeja, recipiente, cuentas de madera o fideos

**¿A partir de qué edad?** Desde los 18 meses.

**Tiempo necesario:** 5 Minutos

**Preparación:** fácil

**¿En qué favorece?** Motricidad fina

**Materiales:** Arcilla o plastilina, palitos de madera o cerillas

# ERIZO MODELADO EN ARCILLA

Estira una bola grande de arcilla de modelar y da forma al hocico y los ojos. Esto será tu erizo. Ofrece a tu hijo pequeños palitos de madera, cerillas o palillos de dientes sin punta y clávalos en la plastilina hasta que tenga suficientes púas.

# GIRAR TUERCAS EN TORNILLOS GRANDES

Coloca tornillos grandes con las tuercas correspondientes en una bandeja. Muestra a tu hijo cómo enroscar las tuercas en los tornillos y permite que continúe con este ejercicio.

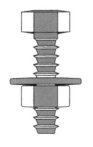

**¿A partir de qué edad?** Desde los 18 meses.

**Tiempo necesario:** 5 Minutos

**Preparación:** fácil

**¿En qué favorece?** Motricidad fina, movimientos giratorios con los dedos

**Materiales:** Tornillos y tuercas, bandeja

# FORMAS Y COLORES

**¿A partir de qué edad?**
Desde los 18 meses.

**Tiempo necesario:** 10 Minutos

**Preparación:** fácil

**¿En qué favorece?**
Percepción del tamaño, concentración

**Materiales:** Tapas, papel, bolígrafo

## ORDENAR TAPAS POR TAMAÑO

Reúne de 5 a 7 tapas de distintos tamaños de frascos con tapón de rosca. Dibuja el contorno de las tapas en una hoja de papel. Ofrece a tu hijo la hoja con las tapas en una bandeja y pídele que empareje las tapas correspondientes con sus contornos. Demuéstrale cómo hacerlo con una tapa, y tu hijo debería ser capaz de completar el resto de forma independiente.

## PEGATINAS DE COLORES

Dibuja 4 o 5 globos de distintos colores en una hoja de papel y entrégasela a tu hijo en una bandeja junto con pegatinas de los mismos colores. Pídele que pegue las pegatinas sobre los globos del mismo color.

**¿A partir de qué edad?** Desde los 18 meses.

**Tiempo necesario:** 10 Minutos

**Preparación:** fácil

**¿En qué favorece?** Percepción del color, motricidad fina, clasificación

**Materiales:** Papel, bolígrafo, pegatinas, bandeja

100

# MEZCLA DE COLORES

**¿A partir de qué edad?**
Desde los 18 meses.

**Tiempo necesario:** 10
Minutos

**Preparación:** fácil

**¿En qué favorece?**
Percepción del color, reconocimiento de colores mezclados

**Materiales:** Bolsa transparentes con cierre, pintura acrilica

Para este ejercicio, necesitas 3 bolsas con cierre. Llena cada una con dos colores acrílicos (aproximadamente una cucharada sopera de cada uno). Son adecuadas las combinaciones amarillo/rojo, azul/amarillo y rojo/azul. Las manchas de color no deben tocarse en las bolsas. Cierra las bolsas y pégalas a una ventana. A continuación, tu hijo puede mezclar los colores a su gusto apretando las bolsas con las manos. De este modo se crean distintas mezclas de colores a partir de los colores básicos contenidos en las bolsas.

# GOTEO CON PIPETAS

Llena vasos pequeños con agua y pon unos chorritos de colorante comestible en cada vaso para que cada recipiente tenga un color distinto. Ofrece a tu hijo bastoncillos de algodón y pipetas y enséñale a utilizar las pipetas para que gotee agua sobre los bastoncillos de algodón. Tu hijo disfrutará haciendo esta actividad.

**¿A partir de qué edad?** Desde los 18 meses.

**Tiempo necesario:** 5 Minutos

**Preparación:** fácil

**¿En qué favorece?** Percepción del color, motricidad fina, concentración

**Materiales:** Vasos, agua, colorante comestible, bastoncillos de algodón o hisopos, pipetas

**¿A partir de qué edad?**
Desde los 18 meses.

**Tiempo necesario:** 10
Minutos

**Preparación:** fácil

**¿En qué favorece?**
Percepción del color, clasificación de cosas

**Materiales:** Cartón de huevos, colores, cesta, tapas de bolsas exprimibles

# CLASIFICAR TAPAS DE BOLSAS EXPRIMIBLES POR COLORES

Pinta los huecos de un cartón vacío de huevos con distintos colores. Coloca el cartón en una bandeja junto con una cesta de tapas de bolsas exprimibles (o pompones) de los mismos colores. Pide a tu hijo que coloque las tapas en los huecos correspondientes. Puedes mostrarle cómo hacerlo, y debería ser capaz de completar el resto de forma independiente.

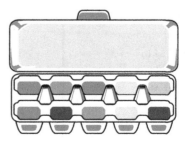

# LENGUAJE Y AUDICIÓN

## TARJETAS DE LAS EMOCIONES

Busca en Internet imágenes de niños experimentando emociones fuertes (alegría, enfado, tristeza, etc.). Imprímelas, plastifícalas y redondea las esquinas. También puedes comprar tarjetas de emociones o plantillas para ellas en tiendas en línea. Utiliza las tarjetas y pregunta a tu hijo cómo cree que se sienten los niños de las imágenes. Habla con tu hijo sobre su estado emocional después de haber experimentado sentimientos fuertes como la ira o la tristeza.

**¿A partir de qué edad?** Desde 18 meses.

**Tiempo necesario:** 20 Minutos

**Preparación:** media

**¿En qué favorece?** Vocabulario, expresión de emociones

**Materiales:** Imágenes impresas y plastificadas

## ENCONTRAR LA FIGURA CORRECTA

**¿A partir de qué edad?** Desde los 18 meses

**Tiempo necesario:** 20 Minutos

**Preparación:** media

**¿En qué favorece?** Vocabulario, concentración

**Materiales:** Figuras de animales, manta, cesta

Elige de 6 a 9 figuras de animales o pequeños vehículos de tu hijo y busca el dibujo correspondiente a cada figura. Imprímelas individualmente y plastifícalas. Colócalas sobre una pequeña manta (esto delimita el área de trabajo del niño) y pon nombre a las figuras representadas. A continuación, ofrece a tu hijo una pequeña cesta con los animales o vehículos correspondientes y enséñale a relacionar los objetos tridimensionales con las imágenes bidimensionales. El ejercicio se vuelve más difícil si las tarjetas representadas muestran también el entorno de los animales o vehículos, por ejemplo, el desierto o los árboles.

# JUEGO DE BÚSQUEDA EN LA NATURALEZA

Durante un paseo con tu hijo, busca materiales naturales típicos de la estación, por ejemplo, castañas, musgo, nueces, piedras, un arroyo o un río, etc. Fotografíalos a escondidas o búscalos en Internet. Imprime las fotografías o imágenes, colócalas en una hoja y plastifícalas. Sal con tu hijo a descubrir la naturaleza y busca todo lo que aparezca en las fotografías. Nombra y marca los objetos encontrados, o colecciónalos y compáralos con las fotografías de casa.

**¿A partir de qué edad?**
Desde los 18 meses.

**Tiempo necesario:** 20 Minutos

**Preparación:** media

**¿En qué favorece?**
Vocabulario, atención

**Materiales:** Fotografías impresas

# JUEGO DE BÚSQUEDA EN CASA

**¿A partir de qué edad?**
Desde los 18 meses.

**Tiempo necesario:** 20 Minutos

**Preparación:** media

**¿En qué favorece?**
Vocabulario

**Materiales:** Fotografías impresas

Haz fotografías de objetos familiares de tu casa (por ejemplo, los juguetes favoritos de tu hijo, sus zapatos o su abrigo, su plato, etc.). Tu hijo debe poder alcanzar todos estos objetos con facilidad. Imprime las fotografías y muéstralas a tu hijo una a una. Pregúntale qué ve en la fotografía y pídele que tome el objeto en cuestión. Tu hijo intentará nombrar el mayor número posible de objetos.

# ESTACIÓN METEOROLÓGICA

Fabrica una estación meteorológica a partir de uno de los lados de una vieja caja de cartón dibujando un marco. Dibuja símbolos meteorológicos en papel (soleado, nublado, lluvia, viento, nieve, arco iris), recórtalos en forma de círculo y plastifica las tarjetas. Coloca puntos de velcro en la parte inferior de las tarjetas y asegúrate de que se pegan a la estación meteorológica. Comprueba el tiempo todas las mañanas con tu hijo y pega la tarjeta correspondiente.

**¿A partir de qué edad?**
Desde los 18 meses.

**Tiempo necesario:**
20 Minutos

**Preparación:** media

**¿En qué favorece?**
Vocabulario, percepción de estímulos ambientales

**Materiales:** Bolígrafos, caja de cartón, puntos de velcro

# TACTO

## ARROZ DE COLORES

**¿A partir de qué edad?**
Desde los 18 meses.

**Tiempo necesario:** 10
Minutos

**Preparación:** fácil

**¿En qué favorece?** Sentido del tacto, percepción del color

**Materiales:** Arroz, bolsa de congelación, colorante comestible, bandeja

Llena una bolsa de congelación con arroz crudo y añade unas pizcas de colorante comestible. Cierra la bolsa y amásalo todo bien hasta que el arroz adquiera un color uniforme. Deja secar el arroz toda la noche o métele en el horno a 50 grados durante 10 minutos. Ofrece a tu hijo arroz de distintos colores en una bandeja poco profunda para que juegue con él.

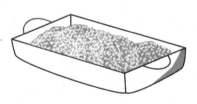

## AGUA Y ACEITE

Llena una bolsa con cierre con agua coloreada con colorante comestible. Añade unas gotas de aceite. Cierra bien la bolsa y dásela a tu hijo para que juegue con ella. Tu hijo moverá el aceite presionándolo.

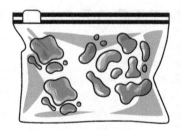

**¿A partir de qué edad?**
Desde los 18 meses.

**Tiempo necesario:**
5 Minutos

**Preparación:** fácil

**¿En qué favorece?**
Percepción del color, sentido del tacto

**Materiales:** Colorante comestible, agua, bolsa con cierre, aceite

18 M. - 2 AÑOS

# VOLCANES DE POLVO PARA HORNEAR

**¿A partir de qué edad?**
Desde los 18 meses.

**Tiempo necesario:** 10 Minutos

**Preparación:** fácil

**¿En qué favorece?** Sentido de la experimentación

**Materiales:** Polvo para hornear, bandeja, vasos, colorante comestible, agua, vinagre, pinzas

Vierte una fina capa de polvo para hornear en una bandeja poco profunda. Prepara unos cuantos frascos poniendo unas gotas de colorante comestible en cada uno y llenándolos con un tercio de agua y dos tercios de vinagre. Ofrece los frascos de distintos colores a tu hijo junto con unas pinzas y rocía unas gotas sobre el polvo para hornear. Se volverá colorido, efervescente y burbujeante.

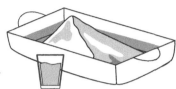

# ARENA CINÉTICA

Mezcle la harina y el aceite en una proporción de 8:1 (8 tazas de harina por 1 taza de aceite). Añade purpurina o colorante comestible si lo deseas y mézclalo todo bien. Ofrece la arena cinética a tu hijo en una bandeja poco profunda para que la amase y juegue con ella.

**¿A partir de qué edad?**
Desde los 18 meses

**Tiempo necesario:** 10 Minutos

**Preparación:** fácil

**¿En qué favorece?** Sentido del tacto, músculos de la mano

**Materiales:** Harina, aceite, colorante comestible

# HUELLAS DE HOJAS

**¿A partir de qué edad?** Desde los 18 meses.

**Tiempo necesario:** 5 Minutos

**Preparación:** fácil

**¿En qué favorece?** Sentido del tacto, motricidad fina

**Materiales:** Hojas, pintura, papel

Recoge hojas de árboles con tu hijo durante un paseo. Déjalas secar en casa. Cubre una cara con pintura y presiónala sobre un papel. Haz huellas de las hojas con tu hijo y compáralas.

TACTO

18 M. - 2 AÑOS

# FORMACIÓN DEL PENSAMIENTO

## RECONOCER HUELLAS DE ANIMALES EN LA MASA

Extiende la masa o la arcilla autoendurecible con un rodillo. Corta algunos círculos con un vaso. Toma los muñecos de tu hijo y haz unas cuantas huellas en un círculo con un muñeco a la vez. Repite la operación con el resto de las figuras. Deja que la masa se endurezca y ofrece a tu hijo los círculos y las figuras en una bandeja. Pídele que empareje las huellas con cada uno de los animales.

**Receta para la masa:** Mezcla dos tazas de harina con una taza de agua y una taza de sal. Amasa la mezcla. Si se te pega en las manos, añade un poco más de harina.

**¿A partir de qué edad?**
Desde los 18 meses.

**Tiempo necesario:** 15 Minutos

**Preparación:** media

**¿En qué favorece?**
Reconocimiento de patrones, atención, concentración

**Materiales:** Harina, agua, sal, tazas, rodillo, vaso, figuras de juego, bandeja

**¿A partir de qué edad?**
Desde los 18 meses.

**Tiempo necesario:** 10 minutos

**Preparación:** fácil

**¿En qué favorece?**
Concentración, atención, reconocimiento de patrones, pensamiento lógico

**Materiales:** Cuentas, hilo, dibujos, bandeja

## ENHEBRAR CUENTAS SIGUIENDO UNA PLANTILLA DE PATRONES

Elige cuentas de distintos colores y un cordel adecuado para enhebrarlas (por ejemplo, un cordón de zapato). Enhebra distintos modelos y hazles fotografías. Imprime las fotografías, plastifícalas y redondea las esquinas. Coloca las fotografías en una bandeja junto con las cuentas y el cordel, y pide a tu hijo que enhebre siguiendo los patrones. Comienza con solo tres cuentas de colores distintos.

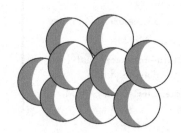

# RESCATAR FIGURAS DE ANIMALES

Enrolla varias gomas elásticas alrededor de los eslabones individuales de un portaplatos. Coloca figuras de animales o pequeños vehículos de juguete en el material elástico enredado y anima a tu hijo a liberar las figuras. No tengas miedo de enredarlas.

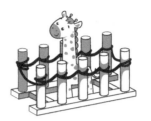

**¿A partir de qué edad?** Desde los 18 meses.

**Tiempo necesario:** 5 Minutos

**Preparación:** fácil

**¿En qué favorece?** Concentración, planificación de acciones, motricidad fina

**Materiales:** Gomas elásticas o ligas, soportes para platos, figuras de animales

## ORGANIZAR PIEZAS DE LEGO SIGUIENDO UN PATRÓN

**¿A partir de qué edad?** Desde los 21 meses.

**Tiempo necesario:** 20 minutos

**Preparación:** media

**¿En qué favorece?** Concentración, atención, reconocimiento de patrones

**Materiales:** Ladrillos de Lego, bandeja

Toma dos o tres ladrillos de Lego grandes de distintos colores y únelos. Haz una fotografía de estas formas. También puedes crear las plantillas en tu PC y colorearlas o dibujarlas en papel y colorearlas. Plastifica las plantillas y redondea las esquinas. Ofrece a tu hijo las plantillas junto con los ladrillos necesarios en una bandeja. Pídele que copie los patrones. Cuando tenga más edad, puedes hacer que los patrones sean más difíciles.

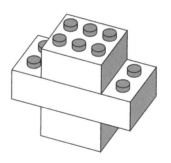

## ¿QUÉ VA JUNTO?

Busca en Internet imágenes de elementos que vayan juntos, por ejemplo, pantalón/chaqueta, tenedor/cuchillo, animal macho/animal hembra. Distribuye todas las parejas en una bandeja y pide a tu hijo que busque las parejas que van juntas. Puedes mostrarle cómo hacerlo con un par y ayudarle si todavía le resulta difícil.

**¿A partir de qué edad?** Desde los 21 meses.

**Tiempo necesario:** 20 Minutos

**Preparación:** media

**¿En qué favorece?** Pensamiento abstracto, concentración, atención

**Materiales:** Bandeja, imágenes

# EJERCICIOS PRÁCTICOS DE LA VIDA COTIDIANA

**¿A partir de qué edad?**
Desde los 18 meses.

**Tiempo necesario:** 5 Minutos

**Preparación:** fácil

**¿En qué favorece?** Motricidad fina, autoeficacia

**Materiales:** Cortador ondulado, fruta, verdura

## CORTAR CON UN CORTADOR ONDULADO

Deja que tu hijo corte frutas y verduras con un cortador ondulado. Los plátanos, por ejemplo, son muy adecuados. De este modo, tu hijo podrá prepararse un aperitivo.

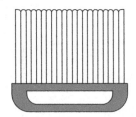

## PLANTAR Y REGAR BERROS

Planta berros con tu hijo y riégalos regularmente. A tu hijo le fascinarán las plantas que crecen.

**¿A partir de qué edad?**
Desde los 18 meses

**Tiempo necesario:** 5 Minutos

**Preparación:** fácil

**¿En qué favorece?**
Comprensión de los procesos naturales, cuidado de los demás

**Materiales:** Berros

# BÁSCULA

Consigue a tu hijo una báscula análoga clásica con dos platillos para pesar. Pesa los dos platillos por separado para averiguar cuál pesa más. De este modo, tu hijo podrá experimentar a su ritmo.

**¿A partir de qué edad?** Desde los 18 meses.

**Tiempo necesario:** 5 Minutos

**Preparación:** fácil

**¿En qué favorece?** Comprensión del peso

**Materiales:** Báscula análoga, varios juguetes

# ARREGLAR FLORES

Recoge flores y hierbas con tu hijo en el jardín o durante un paseo. Ofrece a tu hijo una pequeña jarra o vaso para que arregle las flores de forma independiente. Después coloca las flores en la mesa del comedor común o en la mesa de tu hijo.

**¿A partir de qué edad?** Desde los 18 meses.

**Tiempo necesario:** 10 Minutos

**Preparación:** fácil

**¿En qué favorece?** Concentración, motricidad fina

**Materiales:** Flores, hierbas, jarra o vaso

**¿A partir de qué edad?** Desde los 18 meses.

**Tiempo necesario:** 15 Minutos

**Preparación:** media

**¿En qué favorece?** Comprensión de las estaciones

**Materiales:** Mesa auxiliar o banquillo, materiales diversos

# MESA DE LA ÉPOCA DEL AÑO

Prepara un pequeño rincón en tu casa que decores con tu hijo para que coincida con la estación del año. Puede ser una pequeña estantería de pared a la altura de tu hijo, una mesita auxiliar o un banquito. Puedes utilizar materiales naturales, pañuelos de seda de colores y pequeñas figuras (por ejemplo, de fieltro). Deja volar tu imaginación.

# 2 A 3 AÑOS

~

**Desarrollo motor:** Tu hijo ya puede andar, correr, saltar y subir escaleras con seguridad. Puede caminar de puntillas, correr hacia una meta y frenar a tiempo, dar patadas, lanzar y tal vez incluso atrapar una pelota cuando toca su propio cuerpo. Está aprendiendo a pedalear, a tirar de los juguetes hacia sí mismo y a transportar cosas más pesadas.

Tu hijo ya puede dibujar un círculo y enroscar y desenroscar tapas. Puede girar perillas y accionar interruptores.

**Desarrollo del lenguaje:** Se produce una explosión de vocabulario y tu hijo aprende palabras nuevas a diario. Las frases se hacen cada vez más complejas y su pronunciación es cada vez más comprensible, incluso para los desconocidos. Tu hijo comienza a formular preguntas. La gramática ya es correcta en muchos contextos (por ejemplo, al decir "yo voy", "él va"). Sin embargo, aún sigue cometiendo errores, sobre todo al emplear el plural o el pasado. Alrededor del segundo cumpleaños, tu hijo ya no se refiere a sí mismo por su nombre de pila, sino que utiliza el pronombre "yo". A los 3 años, tu hijo puede relatar brevemente experiencias y mejorarlas con palabras de relleno, como adjetivos.

**Desarrollo cognitivo y relacional:** El niño empieza a comprender y reconocerse como persona. Sabe cuál es su sexo y su color de pelo y que forma parte de un ambiente. El niño muestra empatía y compasión. El tercer año de vida marca el inicio de la fase mágica, es decir, la creencia en seres fantásticos. El niño también asume que sus palabras, pensamientos y acciones pueden causar o evitar eventos. Muchos niños sufren ansiedad por separación a esta edad, por lo que los padres deben ser prudentes. La fase de autonomía, caracterizada por muchas rabietas y el deseo de independencia, es también un reto para toda la familia, el cual se puede contrarrestar mediante la mayor participación posible en la vida cotidiana

# COORDINACIÓN MANO-OJO

## DIBUJAR PUNTOS CON BASTONCILLOS DE ALGODÓN

Además de la pintura clásica, puedes ofrecer a tu hijo un cambio de ritmo con materiales totalmente distintos. Si tienes habilidades artísticas, puedes hacer un dibujo sencillo con un lápiz y trazar las líneas con un rotulador fino. Los puntos no deben estar demasiado separados. Por supuesto, también puedes imprimir el dibujo y calcarlo.

Ofrece a tu hijo los dibujos punteados junto con pintura y bolas de algodón. Tu hijo puede pintar los puntos con el algodón. Este ejercicio es especialmente adecuado como actividad estacional, ya que puedes adaptar fácilmente los diseños a la estación del año (por ejemplo, un copo de nieve en invierno o un helado en verano).

**¿A partir de qué edad?** Desde los 2 años.

**Tiempo necesario:** 15 Minutos

**Preparación:** fácil

**¿En qué favorece?** Motricidad fina, posición correcta del rotulador, concentración

**Materiales:** Lápiz, papel, rotulador, pintura, bastoncillos de algodón o hisopos

## TRAZAR UNA LÍNEA CON RECORTES

**¿A partir de qué edad?** Desde los 2 años.

**Tiempo necesario:** 10 Minutos

**Preparación:** fácil

**¿En qué favorece?** Motricidad fina, concentración, resistencia

**Materiales:** Pegamento, papel, bolígrafo

A los niños pequeños les suele gustar hacer cosas con pegamento. Puedes dibujar una línea en un trozo de papel. A continuación, tu hijo puede pegar trozos de papel a lo largo de la línea. Puedes variar fácilmente la dificultad de este ejercicio haciendo líneas serpenteantes o una espiral en lugar de una línea recta. Puedes ofrecer a tu hijo trozos de papel ya hechos (para esto se pueden utilizar trozos de papel de otras actividades de manualidades), o tu hijo puede cortarlos en trozos pequeños o arrancarlos él mismo.

# COLOCAR CANICAS EN LADRILLOS DE LEGO

Si tienes canicas y un set de Lego Duplo en casa, puedes combinarlos en un bonito ejercicio de motricidad fina. Ofrece a tu hijo un bloque de construcción más grande (por ejemplo, con clavijas de 2x4) y canicas en una bandeja de acción. Debe haber tantas canicas como clavijas; por ejemplo, ocho canicas por ocho clavijas. Puedes colocar una canica en una clavija para mostrar a tu hijo qué actividad es posible realizar con ella. Observará que es difícil colocar todas las canicas en el ladrillo Lego sin volver a derribar otra. Aunque tu hijo ya domine el agarre de pinza, este ejercicio supone todo un reto. Puedes variar esta actividad ofreciéndole bloques de construcción de distintos colores con canicas de colores que combinen. Esto crea un pequeño entrenamiento de clasificación por colores al mismo tiempo.

**¿A partir de qué edad?**
Desde los 2 años.

**Tiempo necesario:**
5 Minutos

**Preparación:** fácil

**¿En qué favorece?**
Motricidad fina, agarre de pinza, concentración

**Materiales:** Canicas, Lego Duplo, bandeja

# CORTAR A LO LARGO DE LAS LÍNEAS

A los dos años, a la mayoría de los niños les entusiasma cortar con tijeras. Existen tijeras especiales para niños que son fáciles de usar y que solo cortan papel. Puedes dejar que tu hijo las utilice por su cuenta sin preocuparte del pelo, la ropa o los textiles del hogar.

Una vez que tu hijo entienda el concepto de cortar, puedes ayudarle a perfeccionar esta habilidad. Corta una hoja de papel (no de cartón) en tiras de 2 cm de ancho y 15 cm de largo. Después, puedes marcar estas tiras con líneas para que tu hijo las recorte. No traces las líneas a lo largo, sino a lo ancho, para que tu hijo pueda cortar un trozo con un solo corte. Lo más fácil es trazar líneas horizontales separadas unos 2 cm. Los trazos diagonales son más difíciles. Si tu hijo ya tiene más experiencia en esta actividad, puedes reducir la distancia entre los trazos. Puedes reutilizar los recortes para otras actividades, por ejemplo, el ejercicio de pegado mencionado anteriormente.

**¿A partir de qué edad?**
Desde los 2 años.

**Tiempo necesario:**
5 Minutos

**Preparación:** fácil

**¿En qué favorece?** Destreza, motricidad fina, atención

**Materiales:** Tijeras para niños, papel, bolígrafo

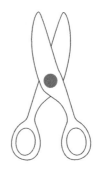

# COLOCAR POMPONES EN UN CARTÓN DE HUEVOS CON PINZAS

El uso de pinzas requiere motricidad fina y fortalece los músculos de las manos. No utilices pinzas puntiagudas, sino pinzas grandes de madera o plástico que tu hijo pueda agarrar fácilmente con sus manos pequeñas. Puedes ofrecer a tu hijo un cartón de huevos vacío, pompones y pinzas en una bandeja y demostrarle cómo transferir los pompones al cartón de huevos con las pinzas. También puedes convertir este ejercicio en una actividad de clasificación pintando los huecos del cartón de huevos de distintos colores y ofreciéndole pompones en los mismos matices.

**¿A partir de qué edad?**
Desde los 2 años y medio.

**Tiempo necesario:**
5 Minutos

**Preparación:** fácil

**¿En qué favorece?**
Motricidad fina, músculos de la mano

**Materiales:** Pinzas, cartón de huevos, pompones

# PRIMEROS EJERCICIOS DE ESCRITURA

Puedes ofrecer a tu hijo sus primeros ejercicios de escritura a partir de los dos años y medio. Existen muchos libros con distintos niveles de dificultad para esta actividad. Especialmente en el caso de los niños pequeños a los que aún se les escapan algunas cosas, puedes hacer tú mismo los ejercicios fácilmente. Toma un trozo de cartón y pega una hoja en él. Dibuja en esta hoja las líneas que tu hijo debe seguir.

Para comenzar, elige líneas lo más sencillas posible, sin demasiadas curvas. Después, cubre la hoja con cinta transparente o papel adhesivo de encuadernación. Ahora tu hijo puede hacer los ejercicios de escritura con un rotulador, que puede borrarse fácilmente después.

**¿A partir de qué edad?**
Desde los 2 años.

**Tiempo necesario:** 15 Minutos

**Preparación:** fácil

**¿En qué favorece?** Motricidad fina, sujeción correcta del bolígrafo

**Materiales:** Cartón, papel, bolígrafo, cinta adhesiva

# PRÁCTICA DE TIRO AL BLANCO CON UNA PELOTA

Esta actividad será muy divertida para tu hijo. Sienta a tu hijo en una mesa (lo ideal es una mesa infantil pequeña). En el lado opuesto de la mesa, pega con cinta adhesiva vasos de cartón uno al lado del otro, de modo que su borde superior quede alineado con el borde de la mesa y no quede espacio entre los vasos. Tu hijo puede intentar hacer rodar una pequeña pelota o canica por la mesa de modo que caiga dentro de un vaso al final. Por supuesto, tiene que usar su fuerza de forma controlada, para no pasarse del objetivo. Puedes jugar con tu hijo y competir para ver quién acierta más veces.

**¿A partir de qué edad?**
Desde los 2 años y medio

**Tiempo necesario:**
5 Minutos

**Preparación:** fácil

**¿En qué favorece?**
Atención, concentración, motricidad fina, capacidad para apuntar

**Materiales:** Vaso de papel, cinta adhesiva, pelota pequeña

# FORMAS Y COLORES

## PUZZLES CON PALITOS DE MADERA

Esta actividad es una alternativa a los clásicos rompecabezas. Es más adecuada durante una visita a un restaurante o un viaje en tren, ya que el tamaño del paquete es muy pequeño. Necesitarás lo siguiente:

- Depresor lingual o espátula de madera (como los que se utilizan en la consulta del médico).
- Cinta de enmascarar o cinta adhesiva
- Una imagen impresa a tu elección
- Pegamento
- Cúter o bisturí

Coloca las espátulas de madera una al lado de la otra y fíjalas con un trozo de cinta adhesiva o de enmascarar. Da la vuelta a las espátulas y pégales un dibujo. ¡Sé creativo! Puedes imprimir una imagen de la serie favorita de tu hijo, fotografías de familiares o páginas de dibujos de libros desechados. Si tienes en casa papel de etiquetas adhesivas por una cara, puedes imprimir la imagen y pegarla en las espátulas de madera. Después, da la vuelta a las espátulas, retira la cinta adhesiva o de enmascarar y corta las espátulas con cuidado con el cúter. Seguro que tu hijo se divertirá muchísimo armando el dibujo.

**¿A partir de qué edad?**
Desde los 2 años.

**Tiempo necesario:** 15 Minutos

**Preparación:** fácil

**¿En qué favorece?**
Atención, concentración

**Materiales:** Espátula de madera, cinta adhesiva, pegamento, bisturí

2 - 3 AÑOS

# BLOQUES DE CILINDROS

Los bloques de cilindros son un clásico juguete de aprendizaje Montessori disponible en varias tiendas en línea. Constan de (normalmente cuatro) bloques distintos con distintos cilindros para insertar. Cada bloque tiene un objetivo distinto. A veces, los cilindros son todos de la misma altura pero tienen distintos diámetros; otras veces, los diámetros son los mismos, pero los cilindros tienen distintas alturas y hay que ordenarlos para que todos acaben a la misma altura.

Para comenzar, ofrece a tu hijo un solo bloque de cilindros en una bandeja. Coloca los cilindros individuales en una pequeña cesta sobre la bandeja. Cuando tu hijo se sienta más seguro en este ejercicio, puedes ir colocando distintos bloques (o todos) juntos en la bandeja. Es una buena idea asegurarte de que todos los cilindros tengan el mismo color al comprarlos para poder ofrecer también el nivel de dificultad más alto.

**¿A partir de qué edad?**
Desde los 2 años.

**¿En qué favorece?**
Comprensión de espacios huecos, volúmenes, secuencias y estructuras.

# DIFERENCIAS DE TAMAÑO EN LAS FORMAS

**¿A partir de qué edad?**
Desde los 2 años.

**Tiempo necesario:** 10 Minutos

**Preparación:** fácil

**¿En qué favorece?**
Percepción del tamaño, atención, concentración

**Materiales:** Cartón, tijeras, papel, bandeja, recipiente

Recorta formas de distintos tamaños de un trozo de cartón o cartulina, por ejemplo, siete triángulos de distintos tamaños. Delinea estas formas sobre una hoja de papel blanco de forma que al final se vean todos los contornos. Coloca la hoja en una bandeja y ofrece a tu hijo las formas recortadas en un recipiente aparte. Deja que tu hijo empareje las formas con sus respectivos contornos. De este modo, tu hijo percibirá los distintos tamaños de una misma forma. Puedes aumentar la dificultad combinando formas distintas. También puedes esconder las formas en una bandeja sensorial, por ejemplo, debajo de lentejas o arroz de colores, para que tu hijo tenga que buscarlas y emparejarlas.

## CONECTAR PUNTOS DE COLORES

**¿A partir de qué edad?**
Desde los 2 años.

**Tiempo necesario:** 5 Minutos

**Preparación:** fácil

**¿En qué favorece?** Reconocimiento de colores, clasificación, sujeción correcta del bolígrafo

**Materiales:** Rotuladores, papel

Utiliza un rotulador para dibujar puntos de distintos colores en un círculo sobre una hoja de papel. Asegúrate de utilizar cada color exactamente dos veces. A continuación, tu hijo podrá relacionar los mismos colores.

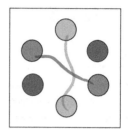

## DESCUBRIR LOS MATICES DE LOS COLORES

A estas alturas, tu hijo ya conoce los colores básicos y probablemente pueda nombrarlos con gran seguridad. También puedes familiarizar a tu hijo con otros tonos y matices de colores. En la ferretería de tu ciudad puedes conseguir gratuitamente pequeñas tarjetas de muestrarios de colores. Estas tarjetas tienen tonos de colores individuales. Recorta las tarjetas de colores para que los colores únicos queden separados. Haz un pequeño agujero en cada tarjeta de color con una perforadora o pinzas perforadoras. Pega los puntos cortados en pequeñas clavijas de madera y deja que tu hijo coloque las clavijas en las tarjetas correspondientes.

**¿A partir de qué edad?**
Desde los 2 años y medio.

**Tiempo necesario:**
5 Minutos

**Preparación:** fácil

**¿En qué favorece?**
Comprensión de los matices de color, motricidad fina

**Materiales:** Tarjetas de colores, tijeras, perforadora, clavija de madera

**¿A partir de qué edad?**
Desde los 2 años y medio.

**Tiempo necesario:**
5 Minutos

**Preparación:** fácil

**¿En qué favorece?**
Percepción de las formas

**Materiales:** Papel, bolígrafo, recipiente, bandeja

## APRENDER LAS FORMAS

Deja que tu hijo clasifique formas distintas. Comienza con las formas clásicas de círculos, triángulos y cuadrados. Dibuja cada forma en una pequeña hoja de papel. Coloca tres recipientes pequeños en una bandeja. Puedes utilizar, por ejemplo, envases de yogur vacíos. Coloca una de las hojas en cada recipiente. Ahora solo necesitas las formas correspondientes en las que tu hijo pueda clasificarlas. Puedes recortar estas formas en cartulina de distintos colores o utilizar las formas de madera de un juego de martillo.

# LENGUAJE Y AUDICIÓN

## MEMORIA AUDITIVA

Rellena varios recipientes opacos de aspecto similar (por ejemplo, botes de rollos fotográficos) con arena, arroz, agua, una cuenta o el material que prefieras. Llena dos recipientes con la misma sustancia. Ahora, tu hijo debe identificar los que coinciden basándose únicamente en el sonido. Te sorprenderá lo desafiante que es confiar únicamente en el sentido del oído para una tarea de este tipo. Es aún más difícil si lo conviertes en un memorama. Sin embargo, esto es más adecuado para niños mayores.

**¿A partir de qué edad?**
Desde los 2 años.

**Tiempo necesario:** 10 Minutos

**Preparación:** fácil

**¿En qué favorece?**
Audición

**Materiales:** Latas, arroz, agua u otras cosas

**¿A partir de qué edad?**
Desde los 2 años.

**Tiempo necesario:** 15 Minutos

**Preparación:** fácil

**¿En qué favorece?**
Vocabulario

**Materiales:** Cartón, bolígrafo

## LISTA DE COMPRAS

Si tu hijo tiene una tienda de juguete o una cocina de juguete con distintos ingredientes, puedes variar el juego de ir de compras preparándole otras listas de la compra. Para ello, dibuja los ingredientes correspondientes en un trozo de cartulina (o pégalos en la impresión correspondiente) y deja que tu hijo vaya de compras con esta lista. De este modo, tu hijo aprenderá los nombres de los alimentos que aparecen en la lista y, al mismo tiempo, representará una situación de la vida cotidiana.

**119**

# ASIGNAR SONIDOS INICIALES

Imprime tarjetas de cosas que tengan el mismo sonido inicial (por ejemplo, topo - toro, caballo - cabello, pelota - pera) y deja que tu hijo encuentre las tarjetas con el mismo sonido. Puedes ayudarle en este ejercicio pronunciando las palabras en voz alta y haciendo especial énfasis en los sonidos iniciales. Lo mejor es plastificar las tarjetas o aplicarles una lámina de encuadernación para que sean duraderas.

**¿A partir de qué edad?**
Desde los 2 años.

**Tiempo necesario:**
5 Minutos

**Preparación:** fácil

**¿En qué favorece?**
Comprensión del lenguaje

**Materiales:** Tarjetas impresas

# RECONOCER PARES DE RIMAS

**¿A partir de qué edad?**
Desde los 2 años y medio.

**Tiempo necesario:** 20 minutos

**Preparación:** fácil

**¿En qué favorece?**
Comprensión del lenguaje

**Materiales:** Imágenes impresas de objetos que riman, cartulina

Tu hijo ya está familiarizado con las canciones infantiles y con muchas canciones y libros. Ahora puedes profundizar en su comprensión lingüística haciéndole emparejar pares de rimas. Imprime dibujos de objetos que riman (por ejemplo, tortuga - oruga, rama - rana, león - melón). Haz que sean duraderas plastificándolas o pegándolas en cartulina y cubriéndolas con cinta adhesiva transparente o papel de encuadernación. Comienza con muy pocos pares de palabras, por ejemplo, solo 6 imágenes distintas. Puedes aumentar el número con el tiempo.

# TACTO

## PERLAS DE AGUA

Las perlas de agua son muy populares entre casi
todos los niños. Prepara una bandeja para tu
hijo con distintos objetos de cocina, por ejemplo, un embudo, cucharas, cucharones o incluso
palas, y deja que juegue con las perlas.

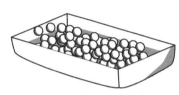

**¿A partir de qué edad?**
Desde los 2 años.

**¿En qué favorece?**
Sentido del tacto

**Materiales:** Perlas de
agua, bandeja, objetos
de cocina

## FIGURAS DE ANIMALES EN HIELO

**¿A partir de qué edad?**
Desde los 2 años.

**Tiempo necesario:**
5 Minutos

**Preparación:** fácil

**¿En qué favorece?** Mo-
tricidad fina, músculos
de las manos, planifica-
ción de acciones

**Materiales:** Animales
de juguete, agua, ban-
deja, recipiente, pipeta

Esta actividad es especialmente adecuada
para días calurosos de verano. Congela los
animales de juguete de tu hijo durante la
noche en pequeños recipientes. Los animales
deben estar completamente cubiertos de
agua. También puedes colorear el agua con
colorante comestible. Al día siguiente, saca los
animales congelados del recipiente y ofrécelos
a tu hijo en una bandeja. Además, ponle un
recipiente con agua tibia y una pipeta. También puedes proporcionarle un bote rociador
con agua templada. Asegúrate de que el
agua no esté caliente. Ahora, tu hijo puede
liberar a los animales del hielo con estas
herramientas.

# BOLSA MÁGICA

Coloca un objeto que le resulte familiar a tu hijo en una bolsa de tela (por ejemplo, un juguete o una fruta). Pídele que identifique este objeto con el sentido del tacto metiendo la mano en la bolsa.

**¿A partir de qué edad?**
Desde los 2 años.

**Tiempo necesario:**
5 Minutos

**Preparación:** fácil

**¿En qué favorece?**
Sentido del tacto

**Materiales:** Bolsa de tela, juguete

**¿A partir de qué edad?**
Desde los 2 años.

**Tiempo necesario:** 1 Hora

**Preparación:** media

**¿En qué favorece?**
Percepción sensorial con los pies

**Materiales:** Vigas de madera, materiales naturales, pistola de pegamento caliente

# CAMINO PARA ANDAR DESCALZO

Si tienes un jardín en casa, puedes crear un pequeño camino para caminar descalzo con tu hijo. Separa pequeños cuadrados entre sí con pequeñas vigas de madera y rellénalos con distintos materiales, por ejemplo, arena, hierba, musgo, piedras ásperas o grava. Si no tienes un jardín, también puedes crear algo parecido dentro de casa con tu hijo. Corta trozos grandes del mismo tamaño de cajas de cartón viejas y pega distintos materiales con una pistola de pegamento caliente, por ejemplo, una alfombra de hierba, distintas telas, limpiadores de tuberías colocados uno al lado del otro, pompones muy juntos, etc. Tu hijo puede caminar descalzo por encima.

# DIBUJAR CON SAL

Para esta actividad, necesitarás pegamento, cartulina negra, sal, colorante comestible y una pipeta. Haz que tu hijo pinte previamente un dibujo con el pegamento y espolvorea abundante sal sobre el mismo. Sacude el exceso de sal y deja que se seque. A continuación, tu hijo puede gotear colorante comestible sobre la sal con una pipeta para colorearla. ¡Una obra de arte excepcional!

**¿A partir de qué edad?**
Desde los 2 años.

**Tiempo necesario:**
5 Minutos

**Preparación:** fácil

**¿En qué favorece?**
Motricidad fina

**Materiales:** Pegamento, papel, sal, colorante comestible, pipeta

**¿A partir de qué edad?**
Desde los 2 años.

**Tiempo necesario:**
5 Minutos

**Preparación:** fácil

**¿En qué favorece?**
Sentido del tacto

**Materiales:** Telas diversas, trozos de madera, pegamento

# MEMORIA SENSORIA

Para realizar un juego de memoria sensorial, necesitas distintas telas y trozos de madera del mismo tamaño o pequeños cuencos de madera. Puedes utilizar distintos materiales de tu casa, por ejemplo, papel de lija, tela de jeans o vaqueros, terciopelo, lana o lámina reflectante. Pega la misma tela en la parte inferior de dos trozos de madera e intenta encontrar parejas iguales junto con tu hijo. Se vuelve más difícil cuando lo juegas a manera de memorama.

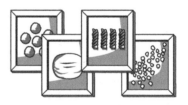

# FORMACIÓN DEL PENSAMIENTO

## RECONOCER A LAS CRÍAS DE ANIMALES

Busca fotografías de animales y sus crías en Internet. Imprímelas en tarjetas, plastifícalas y deja que tu hijo encuentre las tarjetas que van juntas. Esto consolidará el vocabulario de tu hijo. Al mismo tiempo, puedes mezclar parejas más difíciles, por ejemplo, renacuajo y rana, alevín y pez, u oruga y mariposa.

**¿A partir de qué edad?** Desde los 2 años.

**Tiempo necesario:** 15 Minutos

**Preparación:** fácil

**¿En qué favorece?** Conocimientos sobre animales

**Materiales:** Imágenes impresas de animales

## JUEGO DE LOTERÍA

Haz un juego de lotería. Para esto, necesitas 6 imágenes distintas para cada jugador. Imprime estos dibujos dos veces en dos filas, una debajo de la otra. Una de estas impresiones se convertirá en tu tablero de juego. Hazlo resistente plastificándolo o con una lámina de encuadernación. Puedes recortar la segunda impresión. Plastifica también las tarjetas individuales. Cada jugador recibe un tablero, y las tarjetas individuales se colocan boca abajo entre los jugadores. Cada jugador, por turnos, puede dar la vuelta a una tarjeta. Si localizan la imagen en su tablero, pueden colocar la carta sobre esa imagen (como una ficha de juego). Si la tarjeta no pertenece a su tablero, la vuelven a poner boca abajo.

**¿A partir de qué edad?** Desde los 2 años.

**Tiempo necesario:** 15 Minutos

**Preparación:** fácil

**¿En qué favorece?** Atención, concentración, memoria

**Materiales:** Imágenes impresas, tijeras

# ENHEBRAR SEGÚN EL COLOR

Enhebra cuentas de distintos colores y hazles una fotografía. Imprímelas, plastifica las tarjetas y deja que tu hijo enhebre el collar de cuentas siguiendo la plantilla. Para ello, ofrécele las tarjetas, el hilo y las cuentas utilizadas.

**¿A partir de qué edad?** Desde los 2 años y medio.

**Tiempo necesario:** 5 Minutos

**Preparación:** fácil

**¿En qué favorece?** Motricidad fina, reconocimiento de patrones

**Materiales:** Cuentas, hilo, fotografías impresas

---

**¿A partir de qué edad?** Desde los 2 años y medio.

**Tiempo necesario:** 20 Minutos

**Preparación:** fácil

**¿En qué favorece?** Reconocimiento de patrones, planificación de acciones, concentración, atención

**Materiales:** Pompones, Pop-It, imágenes impresas, bandeja

# ORDENAR POMPONES EN POP-ITS

Si tu hijo tiene un Pop-It, puedes utilizarlo para enseñarle a seguir patrones. Coloca los pompones en distintos lugares del Pop-It. Es más fácil si solo utilizas pompones del mismo color para que tu hijo solo tenga que encontrar la posición correspondiente en el Pop-It. Si utilizas pompones de distintos colores, será más difícil. Haz una fotografía del Pop-It con los pompones. Repite este proceso con distintas variaciones, imprime las fotografías y hazlas resistentes con una plastificadora o una lámina de encuadernación. Coloca las fotografías con los pompones utilizados y el Pop-It en una bandeja y deja que tu hijo copie los patrones.

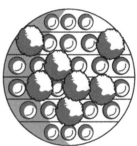
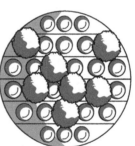

# ENSAMBLAR PIEZAS DE LEGO SIGUIENDO INSTRUCCIONES

A partir de los dos años y medio, tu hijo puede armar estructuras sencillas con bloques de construcción siguiendo instrucciones. Haz fotografías de Lego o de bloques de construcción ensamblados de distintas maneras. Imprímelas, plastifícalas y ofrece a tu hijo los patrones junto con los ladrillos necesarios. Ahora tu hijo puede intentar recrear los diseños.

**¿A partir de qué edad?** Desde los 2 años y medio.

**Tiempo necesario:** 15 Minutos

**Preparación:** fácil

**¿En qué favorece?** Reconocimiento de patrones

**Materiales:** Lego, imágenes impresas

125

**¿A partir de qué edad?** Desde los 2 años y medio.

**Tiempo necesario:** 15 Minutos

**Preparación:** fácil

**¿En qué favorece?** Reconocimiento de patrones

**Materiales:** Espátula de madera, pegatinas con forma de puntos, cúter

# ESPÁTULA DE MADERA CON PEGATINAS DE PUNTOS

Para este ejercicio únicamente necesitas espátulas de madera, pegatinas con forma de puntos y un cúter. Coloca dos espátulas de madera una al lado de la otra y pega pegatinas con forma de puntos en el centro de las espátulas. A continuación, corta las espátulas de modo que solo quede visible la mitad de los puntos adhesivos en cada una de ellas. Repite la operación con otros patrones. Ahora tu hijo puede encontrar las espátulas de madera que hagan juego y completar los patrones.

# CONTAR

Algunos niños ya saben contar hasta diez a los dos años. Sin embargo, normalmente solo aprenden esta secuencia de números de memoria y todavía no tienen una comprensión real de las cantidades. Con este ejercicio puedes fomentarla y, al mismo tiempo, introducir los números. Para ello, necesitas algunos recipientes vacíos, por ejemplo, cuencos de madera o de plástico, o simplemente envases de yogur vacíos. Coloca en el recipiente un trozo de papel con un número y dibuja debajo el número de puntos correspondiente. Ofrece a tu hijo los recipientes con pompones (también puedes utilizar cuentas, canicas o similares). Pídele que ponga el número correspondiente de pompones en cada recipiente. Siéntete libre de ayudar a tu hijo a contarlos.

**¿A partir de qué edad?** Desde los dos años y medio.

**Tiempo necesario:** 5 Minutos

**Preparación:** fácil

**¿En qué favorece?** Comprensión de números y cantidades, reconocimiento de números

**Materiales:** Recipientes vacíos, trocitos de papel, bolígrafo, pompones

FORMACIÓN DEL PENSAMIENTO

2 - 3 AÑOS

126

# EJERCICIOS PRÁCTICOS DE LA VIDA COTIDIANA

**¿A partir de qué edad?**
Desde los 2 años.

**Tiempo necesario:**
5 Minutos

**Preparación:** fácil

**¿En qué favorece?**
Vertido, concentración, motricidad fina, autonomía

**Materiales:** Vasos, bandeja

## VERTIDO

Tu hijo ya ha realizado ejercicios de vertido y probablemente ya se sienta seguro llenando su propio vaso con una jarra pequeña. Puedes ayudarle a perfeccionar esta habilidad. Coloca cuatro o cinco vasos uno al lado del otro en una bandeja. Dibuja una línea horizontal alrededor de cada vaso (a una altura distinta para cada vaso). Tu hijo debe verter el agua hasta la altura de esta línea. Es mejor hacerlo sobre una superficie recubierta de azulejos por si algo sale mal. Este es un buen ejercicio motriz y facilitará la rutina diaria de tu hijo.

## HORNEAR JUNTOS

A los niños les encanta ayudar a cocinar y hornear. Puedes hornear un pastel con tu hijo y aumentar su autonomía ofreciéndole un ambiente preparado. Rellena con antelación los cuencos individuales con las cantidades necesarias. Si tu hijo ya sabe verter, también puedes trazar una línea en un vaso medidor hasta donde deba verter la leche o el agua. Puedes colocar los ingredientes en filas y numerarlos consecutivamente. Tu hijo puede mezclar los ingredientes y batirlos con tu ayuda. También hay batidoras mecánicas adecuadas para niños. En las tiendas se pueden comprar juegos de repostería para niños, en los que las instrucciones se muestran con imágenes y, con cucharas medidoras del color adecuado, pueden seguirse con relativa independencia, incluso por niños bastante pequeños.

**¿A partir de qué edad?**
Desde los 2 años.

**Tiempo necesario:**
5 Minutos

**Preparación:** fácil

**¿En qué favorece?** Autonomía, seguir pasos, motricidad fina

**Materiales:** Ingredientes, cuencos, batidores

127

**¿A partir de qué edad?**
Desde los 2 años.

**Tiempo necesario:**
5 Minutos

**Preparación:** fácil

**¿En qué favorece?** Motricidad fina, autonomía

**Materiales:** Cinta adhesiva, arroz, escoba pequeña

# EJERCICIO DE BARRIDO

Si se derrama algo, puedes pedirle a tu hijo que te ayude a barrerlo. Puedes asegurarte de que tu hijo aprenda a barrer de forma intencionada en un simulacro. Utiliza cinta adhesiva para pegar un cuadrado de unos 20x20 cm en el suelo y esparce junto a él algo que haya que barrer, por ejemplo, arroz. Pídele que lo barra hacia dentro del cuadrado. Puedes proporcionarle una escoba infantil o un pequeño barredor de mano. Para esto último, hacer el ejercicio en una bandeja más grande o en una bandeja poco profunda con un campo un poco más pequeño también es una buena idea.

# TAMIZAR CONCHAS

Llene una pequeña bandeja con arena y esconde en ella conchas y piedras. Ofrece a tu hijo la bandeja con un tamiz o colador pequeño y un recipiente vacío. Tu hijo solo tendrá que tamizar los objetos. Esto requiere un movimiento controlado de la muñeca y el antebrazo, el cual le resultará algo desconocido al principio.

**¿A partir de qué edad?**
Desde los 2 años.

**Tiempo necesario:**
5 Minutos

**Preparación:** fácil

**¿En qué favorece?** Motricidad fina, atención

**Materiales:** Bandeja, conchas, tamiz o colador, piedras

**¿A partir de qué edad?**
Desde los 2 años.

**Tiempo necesario:** 15 Minutos

**Preparación:** fácil

**¿En qué favorece?**
Motricidad fina

**Materiales:** Fieltro, botones, tijeras

# ABOTONAR

Tu hijo ya sabe manejar varios cierres. Sin embargo, abotonar es una tarea exigente de motricidad fina que requiere práctica. En la educación Montessori, existen bastidores de cierres con los que los niños pueden practicar distintas formas de cierres. Sin embargo, son bastante caros y hacerlos uno mismo requiere cierta destreza manual. Como alternativa, puedes hacer que el abotonado sea accesible para tu hijo utilizando fieltro. Toma una tira de fieltro grueso de unos 5 cm de ancho y cose tres o cuatro botones de distintos tamaños. Recorta círculos de otro trozo y hazle una hendidura. Tu hijo podrá pegar los círculos a los botones.

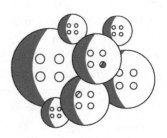

# CUCHILLO PARA NIÑOS

Tu hijo ya puede cortar fruta y verdura con un cortador ondulado. Poco a poco, puedes ir introduciendo cuchillos más afilados a partir de los dos años. Al principio, utiliza solo cuchillos sin filo, pero con el tiempo puedes utilizar cuchillos cada vez más afilados. Deja que tu hijo te ayude a cocinar. Primero, puedes utilizar cuchillos especiales para niños que no dañen la piel pero que puedan cortar verduras en trozos pequeños si les aplicas la presión adecuada y los guías hacia delante y hacia atrás. Deja que tu hijo utilice el cuchillo únicamente bajo supervisión y establece algunas normas desde el principio. Los cuchillos no deben llevarse a la boca ni lamerse y no deben agitarse alocadamente.

**¿A partir de qué edad?**
Desde los 2 años y medio.

**Tiempo necesario:**
5 Minutos

**Preparación:** fácil

**¿En qué favorece?**
Comprensión de números y cantidades, reconocimiento de números

# TARJETAS DE COSTURA

Puedes iniciar a tu hijo pequeño en la costura. Para ello, dibuja cualquier diseño (pero no demasiado complicado) en una cartulina muy resistente. Haz agujeros en las líneas del diseño a intervalos regulares con una perforadora. Utilizando técnicas de costura, puedes enseñar a tu hijo a unir las líneas con una aguja de plástico sin punta y lana. Utilizando los agujeros perforados previamente y con el diseño de frente, tu hijo debe insertar la aguja en un agujero de la parte superior y, a continuación, empujarla a través del siguiente agujero desde la parte posterior. Aquí, la aguja se introduce por el agujero de abajo hacia arriba y se vuelve a introducir por el primer agujero para hacer un bucle continuo. Continúa con el siguiente agujero. Una vez que el diseño esté completamente cosido, puedes cortar el hilo y anudarlo por detrás. Esta técnica es adecuada para hacer una bonita tarjeta de cumpleaños con tu hijo para un ser querido. Tu hijo se sentirá muy orgulloso del resultado. Como alternativa, también puedes comprar en línea las tarjetas de costura de madera correspondientes.

**¿A partir de qué edad?**
Desde los 2 años y medio.

**Tiempo necesario:** 10 Minutos

**Preparación:** fácil

**¿En qué favorece?** Motricidad fina, manualidades

**Materiales:** Cartulina gruesa, bolígrafo, perforadora, aguja de plástico, lana.

# COMENTARIOS FINALES

~

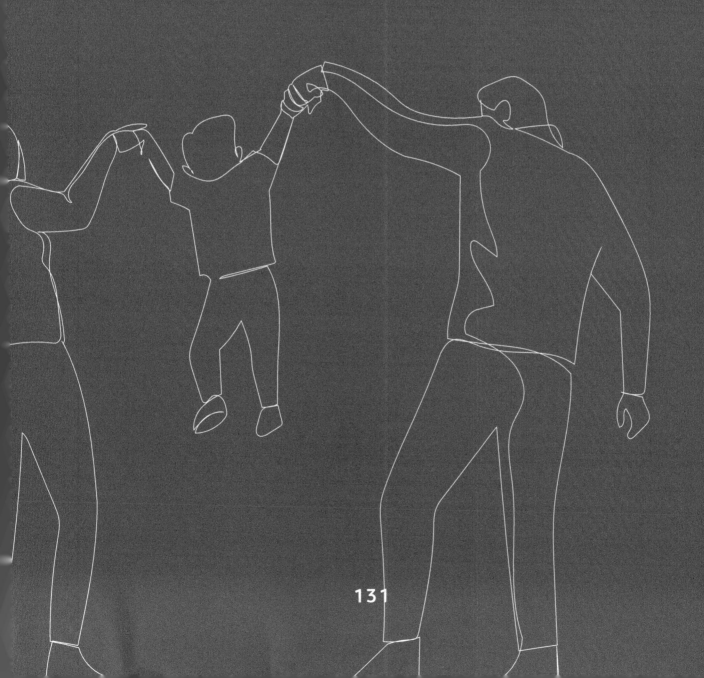

FIN

# COMENTARIOS DE LOS CLIENTES

**Gracias por elegir nuestro libro.**

Esperamos que sea de gran utilidad para ti y para tu hijo y que disfruten juntos de las actividades.

Las opiniones y valoraciones de nuestros clientes son muy importantes para nosotros. Así podemos entender qué hemos hecho bien y en qué debemos trabajar. Esto nos ayuda a mejorar el libro y a hacerlo más útil para padres e hijos.

★★★★★

**Si estás satisfecho con tu compra, nos encantaría que escribieras una breve reseña en Amazon.**

Con solo 20 segundos de tu tiempo, puedes ayudar enormemente a otros padres y a nosotros. Simplemente accede a tu cuenta de Amazon, selecciona este libro y describe brevemente lo que más te ha gustado a ti y a tu hijo.

Si no estás satisfecho o tienes ideas para mejorarlo, escanea este código QR. Esto te llevará a un formulario a través del cual podrás compartir fácilmente tus sugerencias con nosotros. De esta forma, ayudarás en gran medida a futuros clientes y a nosotros mismos.

¡Muchas gracias por tu ayuda!